SREBRNE KRZESŁO

LEW, CZAROWNICA
I STARA SZAFA

*

KSIĄŻĘ KASPIAN

*

PODRÓŻ
„WĘDROWCA DO ŚWITU”

*

SREBRNE KRZESŁO

*

KOŃ I JEGO CHŁOPIEC

*

SIOSTRZENIEC CZARODZIEJA

*

OSTATNIA BITWA

C.S. LEWIS

SREBRNE KRZESŁO

Ilustrowała Pauline Baynes

*

Przełożył Andrzej Polkowski

MEDIA RODZINA

Tytuł oryginału
THE SILVER CHAIR

Projekt polskiej wersji okładki: Jacek Pietrzyński

www.narnia.com

ISBN 83-7278-183-4
ISBN 978-83-7278-183-3

Przekład poprawiony

Harbor Point Sp. z o.o.
Media Rodzina, ul. Pasieka 24, 61-657 Poznań
tel. (61) 827-08-50, faks 820-34-11
mediarodzina@mediarodzina.com.pl
www.mediarodzina.com.pl

Skład, łamanie i diapozytywy
perfekt, Poznań, ul. Grodziska 11, tel. (61) 867-12-67
e-mail: dtp@perfekt.pl, http://dtp.perfekt.pl

Druk i oprawa: OPOLgraf SA
www.opolgraf.com.pl

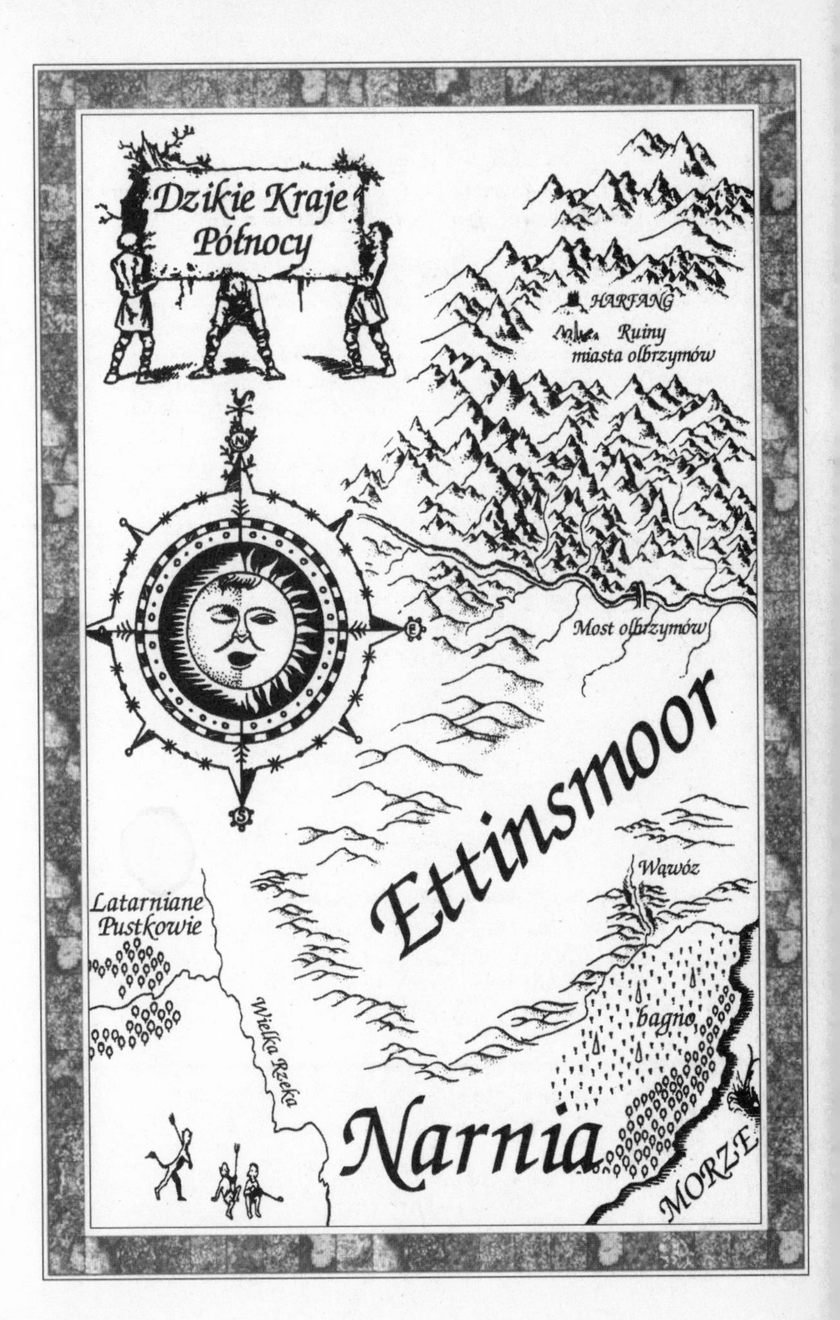
Dzikie Kraje
Północy
HARFANG
Ruiny
miasta olbrzymów
Most olbrzymów
Ettinsmoor
Wąwóz
Latarniane
Pustkowie
Wielka Rzeka
bagno
Narnia
MORZE

DLA NICHOLASA HARDIE

ROZDZIAŁ 1

POZA MURAMI GIMNAZJUM

BYŁ PONURY JESIENNY DZIEŃ i Julia Pole płakała za budynkiem gimnazjum.

Julia płakała, ponieważ była jedną z ofiar szkolnego gangu znęcającego się nad słabszymi. Nie będzie to szkolna opowieść, więc o szkole, do której chodziła Julia, powiem wam tylko tyle, byście zrozumieli sytuację, zwłaszcza że nie jest to wcale przyjemny temat. Była to szkoła „koedukacyjna", szkoła dla dziewcząt i chłopców. Dawniej nazywano te szkoły „mieszanymi" i niektórzy byli zdania, że właśnie ta była prawie tak mieszana, jak pomieszane mieli w głowach ci, którzy nią kierowali. Wyznawali oni zasadę, że należy pozwolić dziewczętom i chłopcom na wszystko, na co tylko mają ochotę. A niestety, dziesięcioro czy piętnaścioro najsilniejszych chłopców i dziewcząt największą ochotę miało na znęcanie się nad innymi. Różne okropne rzeczy, które w normalnej szkole szybko by wykryto, a ich sprawców przykładnie ukarano, tu działy się spokojnie dzień po dniu i nikt się tym specjalnie nie przejmował. A nawet wówczas, gdy wychowawcy dowiadywali się o tym czy owym, sprawców ani nie wyrzucano ze szkoły, ani nawet nie karano. Dyrektorka uważała, że są oni interesującymi przypadkami psychologicznymi, i bardzo lubiła rozmawiać z nimi całymi godzinami. A jeśli się wiedziało, co trzeba Dyrektorce powiedzieć, można się było nie obawiać żadnej kary — przeciwnie, łatwo zostawało się jej ulubieńcem.

Właśnie dlatego Julia Pole płakała w ten ponury jesienny dzień, spacerując samotnie po mokrej ścieżce na tyłach gimnazjum. I prawie już się wypłakała, gdy nagle zza rogu budynku wyszedł jakiś chłopiec. Pogwizdywał wesoło, ręce trzymał w kieszeniach i omal na nią nie wpadł.

— Nie możesz uważać, jak idziesz? — zapytała Julia Pole.

— No dobrze już, dobrze — powiedział chłopiec. — Nie musisz od razu... — urwał i spojrzał na jej twarz. — Słuchaj, Pole, co ci jest?

Julia nic nie odpowiedziała, a po jej minie poznać było, że gdyby spróbowała mówić, znowu zaczęłaby płakać.

— No tak, a więc to znowu ONI — westchnął chłopiec ponuro, jeszcze głębiej wciskając ręce w kieszenie.

Julia pokiwała głową. Gdyby nawet była w stanie coś powiedzieć, nie było to potrzebne. Oboje wiedzieli.

— A więc posłuchaj — rzekł chłopiec. — Nic nam nie przyjdzie z tego, że...

Miał dobre intencje, ale, niestety, przemawiał jak ktoś, kto zaczyna wykład. Julia nagle wpadła w złość (co jest chyba pierwszą rzeczą, jaka się może zdarzyć, gdy nam nagle przerwą płacz).

— Och, idź już sobie i zajmij się swoimi sprawami — powiedziała. — Nikt cię nie prosił, żebyś się wtrącał. Myślisz, że z ciebie taki mądrala, który nagle oświeci wszystkich, co mają robić? Pewnie chcesz powiedzieć, że powinniśmy IM nadskakiwać od rana do wieczora, liczyć na ICH łaskę i tańczyć, jak zagrają? Założę się, że sam nic innego nie robisz!

— O rany! — zawołał chłopiec, który usiadł na trawie, lecz szybko się poderwał, bo trawa była mokra. Nazywał się, niestety, Eustachy Klarencjusz Scrubb, ale wcale nie był taki zły.

— Pole! — powiedział z wyrzutem. — Czy to uczciwe? Czy zrobiłem coś takiego w tym semestrze? Czy nie postawiłem się Carterowi, gdy chodziło o tego królika? I czy nie dotrzymałem tajemnicy o Spivvinsach, nawet wtedy gdy mnie torturowali? I czy nie...

— Nic o tym nie wiem i wcale mnie to nie obchodzi — powiedziała Julia już przez łzy.

Scrubb zauważył, że jeszcze się nie uspokoiła, i bardzo rozsądnie poczęstował ją gumą do żucia. Po chwili Julia zaczęła widzieć świat w nieco jaśniejszych barwach.

— Przepraszam cię, Scrubb — powiedziała. — Rzeczywiście, niezbyt ładnie się zachowałam. Wiem, że to wszystko robiłeś. W tym semestrze.

— Więc nie mówmy o poprzednim, jeśli ci to nie sprawi różnicy — wtrącił szybko Eustachy. — Byłem wtedy kimś zupełnie innym. Byłem... ech, co tu dużo mówić, byłem ohydną małą pluskwą.

— No cóż, prawdę mówiąc, tak było — powiedziała Julia.

— A więc uważasz, że się zmieniłem?

— Nie tylko ja. Każdy to widzi. ONI też to zauważyli. Eleonora Blakiston słyszała, jak w szatni mówiła o tym Adela Pennyfather. Powiedziała: „Ktoś ma wpływ na tego małego Scrubba. W tym semestrze w ogóle nas nie słucha. Będziemy się musieli nim zająć".

Eustachy wzdrygnął się. Każdy w szkole widział zbyt dobrze, co oznacza „zajęcie się" kimś przez NICH.

Oboje chwilę milczeli. Krople deszczu spadały z liści wawrzynów.

— Dlaczego tak się zmieniłeś w tym semestrze? — zapytała w końcu Julia.

— Wiele dziwnych rzeczy spotkało mnie podczas wakacji — odrzekł tajemniczo Eustachy.

— Jakich rzeczy?

Eustachy długo nie odpowiadał, aż wreszcie się zdecydował:

— Posłuchaj, Pole. I ty, i ja nienawidzimy tego miejsca tak, jak tylko można czegoś nienawidzić. Zgadzasz się ze mną?

— Jeśli chodzi o mnie, to jestem tego pewna.

— A więc myślę, że mogę ci zaufać.

— Och, Scrubb, wystękaj wreszcie, o co ci chodzi!

— Widzisz, to naprawdę straszliwa tajemnica. Słuchaj, Pole, czy potrafisz wierzyć? Chodzi mi o to, czy potrafisz wierzyć w takie rzeczy, które tutaj każdy by wyśmiał?

— Nigdy nie miałam sposobności — odparła Julia — ale myślę, że potrafię.

— Czy uwierzyłabyś, gdybym ci powiedział, że

podczas tych wakacji byłem poza światem... poza TYM światem?

— Nie bardzo rozumiem, co masz na myśli.

— No więc dobrze, nie mówmy o światach. Załóżmy, że ci powiem, że byłem w takim miejscu, w którym zwierzęta mówią i gdzie są, no... czary i smoki, i... no wiesz, różne rzeczy, o których się czyta w bajkach.

Gdy to powiedział, poczuł się bardzo głupio i aż się zaczerwienił.

— Ale jak się tam dostałeś? — zapytała Julia. I ona czuła się dziwnie zakłopotana.

— W jedyny możliwy sposób: dzięki magii — odpowiedział Eustachy prawie szeptem. — Byłem tam z moimi kuzynami. Zostaliśmy po prostu porwani. Oni tam już przedtem byli.

To, że mówili szeptem, w jakiś sposób pomagało Julii uwierzyć. Ale nagle zrodziło się w niej okropne podejrzenie i krzyknęła (tak dziko, że przez chwilę wyglądała jak tygrysica):

— Jeżeli się okaże, że mnie nabierasz, to już nigdy nie będę z tobą rozmawiać. Nigdy! Nigdy! Nigdy!

— Nie nabieram cię — powiedział Eustachy. — Przysięgam, że to prawda. Przysięgam na... na wszystko.

(Kiedy ja chodziłem do szkoły, mówiło się: „Przysięgam na Biblię". Ale Biblia nie była mile widziana w Eksperymentalnej Szkole Koedukacyjnej.)

— No dobra — zgodziła się Julia. — Wierzę ci.

— I nikomu nie powiesz?

— Za kogo mnie masz?

Po tej wymianie zdań oboje byli bardzo podekscytowani. Ale kiedy Julia rozejrzała się naokoło i zobaczyła ponure jesienne niebo, i usłyszała kapanie deszczu z liści, i pomyślała o całej beznadziejności Eksperymentalnej Szkoły (semestr trwał trzynaście tygodni, a zostało ich jeszcze jedenaście), powiedziała:

— Tylko co to da? Nie jesteśmy tam, jesteśmy tutaj. I nie ma sposobu, żeby TAM się dostać. A może jest?

— O tym właśnie wciąż myślę — odrzekł Eustachy. — Kiedy mieliśmy już wrócić z Tamtego Miejsca, Ktoś powiedział, że rodzeństwo Pevensie (to moi kuzyni, o których ci wspominałem) nigdy już tam nie wróci. Widzisz, oni byli już tam trzy razy. Przypuszczam, że wykorzystali swój przydział. Ale On nigdy nie powiedział, że ja tam nie wrócę. Przecież na pewno by to powiedział, gdybym nie miał tam wrócić, no nie? I wciąż łamię sobie nad tym głowę. Możemy... moglibyśmy...

— Myślisz, że można coś zrobić, aby to się stało?

Eustachy pokiwał głową.

— Myślisz, że moglibyśmy nakreślić koło na ziemi... i napisać coś tajemnymi literami w kole... i stanąć w nim... i recytować zaklęcia?

— Cóż... — powiedział Eustachy po dłuższej chwili milczenia, w ciągu której próbował jeszcze raz wszystko przemyśleć — chyba coś takiego chodziło mi po głowie, chociaż nigdy tego nie próbowałem. Ale teraz, jak się nad tym konkretnie zastanawiam, zdaje mi się, że te wszystkie kręgi, zaklęcia i tak dalej to chyba bzdury. Nie sądzę, żeby Jemu się podobały.

Widzisz, wychodziłoby na to, że, według nas, można Go zmusić, aby coś zrobił. A tak naprawdę, to możemy Go tylko prosić.

— O kim ty wciąż mówisz?

— W Tamtym Miejscu nazywają go Aslanem — powiedział Eustachy.

— Co za dziwne imię!

— On sam jest sto razy bardziej dziwny — rzekł Eustachy uroczyście. — Ale do rzeczy. Nie zaszkodzi poprosić. Stań obok mnie, o tak. Wyciągnijmy ręce przed siebie, dłońmi w dół, tak jak to robili na wyspie Ramandu...

— Jakiej wyspie?!

— Opowiem ci o tym innym razem. Trzeba chyba stanąć twarzą na wschód. Zaraz, gdzie jest wschód?

— Nie mam zielonego pojęcia — odparła Julia.

— To jest właśnie u dziewczyn najdziwniejsze: nigdy nie potrafią określić stron świata.

— Sam ich nie potrafisz wskazać — oburzyła się Julia.

— Potrafię, jeśli tylko nie będziesz mi przeszkadzała. Już wiem. Tam jest wschód, w stronę tych wawrzynów. A teraz, czy powtórzysz za mną?

— Ale co?

— Słowa, jakie zamierzam wypowiedzieć, rzecz jasna — zniecierpliwił się Eustachy. — Teraz!

I zaczął:

— Aslanie! Aslanie! Aslanie!

— Aslanie! Aslanie! Aslanie! — powtórzyła Julia.

W tym momencie usłyszeli głos dobiegający zza rogu budynku:

— Pole? Tak, wiem, gdzie jest. Beczy za budą, przy krzakach. Mam ją stamtąd wyciągnąć?

Julia i Eustachy spojrzeli na siebie, dali nurka w krzaki i zaczęli się wspinać po rozmokłym zboczu z szybkością, która dawała im dużą szansę ucieczki. (Dziwne metody nauczania w Eksperymentalnej Szkole powodowały, że większość uczniów nie czyniła

widocznych postępów we francuskim, matematyce, łacinie i innych takich sprawach, za to potrafiła uciekać szybko i cicho, gdy tylko ONI kogoś szukali.)

Po kilku minutach czołgania zatrzymali się, by posłuchać, co się dzieje, i z przerażeniem stwierdzili, że pogoń ruszyła we właściwym kierunku.

— Och, gdyby te drzwi były otwarte! — wyszeptał Eustachy, gdy wspinali się dalej między wawrzynami. Julia tylko pokiwała głową. Na szczycie porośniętego krzakami zbocza wznosił się bowiem mur, a w tym murze były niewielkie drzwi, przez które można było wydostać się na wrzosowisko. Drzwi były zawsze zamknięte. Zdarzało się jednak w przeszłości, że niektórzy zostawiali je otwarte. A może zdarzyło się tak tylko raz — w każdym razie pamięć nawet tego jednego razu podtrzymywała nadzieję wielu uczniów i kazała im co jakiś czas próbować. Łatwo sobie wyobrazić, jak wspaniała byłaby to droga nie zauważonej przez nikogo ucieczki poza teren gimnazjum.

Julia i Eustachy, porządnie już spoceni i zesztywniali, bo musieli się przedzierać między krzakami zgięci wpół, dopadli wreszcie muru. Drzwi były, jak zawsze, zamknięte.

— Można się było tego spodziewać — powiedział Eustachy, szarpiąc zardzewiałą klamkę, gdy wtem wykrzyknął: — Och! Coś takiego! — bo klamka ustąpiła i drzwi się otworzyły.

Jeszcze przed chwilą marzyli tylko o tym, że gdyby drzwi przypadkiem okazały się otwarte, wyskoczyliby przez nie tak szybko, jak to możliwe, poza mur otaczający szkołę. Ale teraz oboje zamarli, gapiąc się przez otwór i nie mogąc ruszyć się z miejsca. Zobaczyli bowiem coś zupełnie innego niż to, czego oczekiwali.

Spodziewali się zobaczyć szare, porośnięte wrzosem zbocze, zlewające się na horyzoncie z ponurym jesiennym niebem. Zamiast tego oślepił ich blask słońca, wlewający się przez otwarte drzwi, tak jak światło czerwcowego dnia wlewa się do garażu po otwarciu bramy. Na trawie lśniły jak diamentowe paciorki krople deszczu, a na pobrudzonej błotem twarzy Julii błyszczały strumyczki pozostawione przez łzy. Blask słońca płynął ze świata, który z całą pewnością nie wyglądał jak ten świat — nawet jeśli sądzić tylko po tym, co mogli dotąd zobaczyć. A zobaczyli gładką murawę, gładszą i świeższą niż najwspanialszy trawnik, jaki Julia kiedykolwiek widziała, i błękitne niebo, i — polatujące tu i tam — jakieś stworzenia tak jaśniejące i barwne, że mogły być klejnotami lub wielkimi motylami.

Julia od dawna tęskniła za czymś takim, a jednak teraz poczuła lęk. Spojrzała na twarz Scrubba i zobaczyła, że on też się boi.

— No, dalej, Pole, idziemy — powiedział zmienionym głosem.

— A czy będziemy mogli wrócić? Czy to bezpieczne?

W tym momencie usłyszeli za plecami cienki, mściwy głos:

— Posłuchaj no, Pole. Każdy wie, że tu jesteś. Złaź z powrotem.

Był to głos Edyty Jackle. Nie należała do gangu, ale była jedną z jego sług i donosicieli.

— Szybko! — krzyknął Scrubb. — Tędy! Daj mi rękę. Nie możemy się rozdzielić. — I zanim Julia zdała sobie sprawę z tego, co się dzieje, złapał ją za rękę i pociągnął za sobą przez drzwi w murze. Poza teren szkoły, poza Anglię, poza cały nasz świat — do Tamtego Miejsca.

Głos Edyty Jackle urwał się tak nagle jak głos w radiu, kiedy się je wyłączy. W tej samej chwili usłyszeli zupełnie inne dźwięki. Wydawały je owe dziwne stworzenia w powietrzu, które teraz okazały się ptakami. Było to bardziej podobne do muzyki — dość hałaśliwej i niezbyt melodyjnej — niż do ptasiego śpiewu w naszym świecie. A tłem tej muzyki była przejmująca cisza. Właśnie ta cisza, w połączeniu ze świeżością powietrza, kazała Julii pomyśleć, że znajdują się na szczycie jakieś bardzo wysokiej góry.

Eustachy trzymał ją wciąż za rękę i szli tak przed siebie, rozglądając się dookoła. Rosły tu wysokie, rozłożyste drzewa przypominające cedry, lecz jeszcze od nich wyższe. Rosły w pewnym oddaleniu od siebie, a ponieważ nie było tu leśnego podszycia, można było widzieć wszystko daleko na lewo i na prawo. I dokąd tylko Julia mogła sięgnąć wzrokiem, wszędzie widziała to samo: gładką murawę, śmigające w powietrzu ptaki o żółtym, błękitnosrebrnym lub tęczowym upierzeniu, granatowe cienie i pustkę. W chłodnym, jaśniejącym powietrzu nie czuło się najlżejszego powiewu wiatru. Był to bardzo dziwny las.

Tylko przed nimi nie było drzew — nie było nic

oprócz trawy i błękitnego nieba. Szli przed siebie w milczeniu, aż nagle Eustachy wrzasnął: — Uwaga!! — i pociągnął ją gwałtownie do tyłu. Stali na krawędzi skalnego urwiska.

Julia należała do tych szczęśliwców, którzy nie boją się wysokości. Stanie na skraju przepaści nie robiło na niej żadnego wrażenia. Zła była na Eustachego, że pociągnął ją do tyłu — „jakbym była dzieckiem" — i wyrwała rękę. Zauważyła, że zbladł, i popatrzyła na niego z pogardą.

— O co chodzi? — spytała. I chcąc pokazać, że wcale się nie boi, stanęła zupełnie blisko krawędzi, prawdę mówiąc nieco bliżej, niż miała na to ochotę. Potem spojrzała w dół.

Teraz zrozumiała, że Scrubb miał pewne powody, by zmienić się na twarzy. Żadne urwisko świata nie mogło się równać z tym, co zobaczyła. Wyobraźcie sobie, że patrzycie w dół, na dno przepaści. A potem wyobraźcie sobie, że dno przepaści jest jeszcze dalej: dwa razy dalej, dziesięć razy dalej, dwadzieścia razy dalej. A kiedy już patrzycie w dół, w tę niewiarygodną przepaść, wyobraźcie sobie tam małe, białe plamki, które można na pierwszy rzut oka wziąć za owce, ale w rzeczywistości są chmurami — nie jakimiś strzępami białej mgły, lecz olbrzymimi, białymi, wzdętymi chmurami, wielkimi jak góry. I w końcu, między tymi chmurami, dostrzegacie prawdziwe dno przepaści, tak dalekie, że trudno powiedzieć, czy to pola czy las, ziemia czy woda; o wiele niżej POD chmurami, niż wy jesteście NAD nimi.

A Julia na to patrzyła. Pomyślała, że — mimo wszystko — może jednak powinna odsunąć się nieco od krawędzi, ale zawahała się ze strachu i ze wstydu. Nie trwało to jednak długo. Prędko doszła do wniosku, że ma w nosie, co teraz pomyśli o niej Scrubb, i że musi natychmiast cofnąć się od tej straszliwej krawędzi, i że już nigdy nie będzie się śmiać z kogoś, kto ma lęk przestrzeni. Kiedy jednak spróbowała się poruszyć, stwierdziła, że nie może: nogi jakby jej przyrosły do ziemi. Zakręciło się jej w głowie.

— Co ty robisz, Pole?! Cofnij się, ty... skończona wariatko! — wrzasnął Eustachy, ale jego głos dobiegł ją jakby z daleka. Poczuła, że chłopiec próbuje ją złapać, lecz teraz nie panowała już nad swoimi rękami i nogami. Przez chwilę szamotali się na krawędzi przepaści. Julia była zbyt przerażona i zbyt kręciło się jej

w głowie, żeby wiedzieć, co robi, ale dwie rzeczy zapamiętała na całe życie (często do niej powracały w snach). Jedną było to, że wyrwała się z uchwytu Scrubba, upadając przy tym na ziemię. Drugą — że w tym samym momencie Scrubb stracił równowagę i z przeraźliwym krzykiem runął w przepaść.

Na szczęście nie miała czasu, aby zastanowić się nad tym, co zrobiła. Jakieś wielkie białe zwierzę podbiegło do brzegu urwiska i położyło się, wychylając łeb poza krawędź. Najdziwniejsze było to, że zwierzę nie ryczało, nie warczało, tylko DMUCHAŁO — dmuchało szeroko otwartym pyskiem, dmuchało równomiernie i spokojnie, jak odkurzacz z tego drugiego końca. Julia leżała tak blisko, że czuła, jak od tego tchnienia ciało zwierzęcia równomiernie wibruje. Leżała nieruchomo, bo i tak nie mogła wstać. Była bliska omdlenia. Prawdę mówiąc, bardzo chciała zemdleć, ale, niestety, nie mdleje się na zawołanie. Nagle daleko w dole zobaczyła jakiś ciemny punkcik unoszący się powoli w górę, a jednocześnie oddalający się od urwiska. Kiedy już wzniósł się na wysokość szczytu, był tak daleko, że wkrótce zniknął jej z oczu. Julia była prawie pewna, że ów ciemny punkcik zdmuchnęło właśnie to leżące obok stworzenie.

Odwróciła więc powoli głowę i spojrzała na nie. Był to lew.

ROZDZIAŁ 2

JULIA OTRZYMUJE ZADANIE

LEW WSTAŁ, nawet nie spojrzawszy na Julię, i dmuchnął ostatni raz. Potem, jakby zadowolony ze swego dzieła, odwrócił się i powoli odszedł w stronę drzew.

— To musi być sen, to musi być sen, to musi być sen — powtarzała sobie Julia na głos. — Zaraz się obudzę.

Ale to nie był sen i nie obudziła się.

— O Boże, co bym dała za to, żeby być z powrotem w szkole! Co za okropne miejsce! Nie wierzę, żeby Scrubb wiedział o nim więcej niż ja w tej chwili. A jeżeli wiedział, to naprawdę nie mam pojęcia, dlaczego mu zależało na tym, żeby mnie tu ściągnąć, nie uprzedzając jak tu jest. To nie moja wina, że spadł z urwiska. Gdyby mnie zostawił w spokoju, oboje bylibyśmy cali i zdrowi.

Lecz teraz przypomniała sobie przeraźliwy krzyk Scrubba spadającego w przepaść i wybuchnęła płaczem.

Płacz trochę pomaga — dopóki się płacze. Ale w końcu, wcześniej czy później, trzeba przestać płakać, a wtedy trzeba się zdecydować, co robić dalej. Kiedy Julia wylała już wszystkie łzy, zachciało się jej okropnie pić. Ptaki przestały muzykować i w przejmującej, doskonałej ciszy usłyszała dochodzący z oddali słaby, nieprzerwany dźwięk. Nasłuchiwała uważnie przez chwilę i teraz była już pewna, że to plusk wody.

Wstała i rozejrzała się ostrożnie dookoła. Lew zniknął, ale było tu tyle drzew, że przecież mógł się schować za którymś z nich i obserwować ją z ukrycia. Z tego, co wiedziała o lwach, wynikało, że może ich być kilka. Ale plusk wody jeszcze bardziej wzmógł jej pragnienie. W końcu zebrała całą odwagę i poszła jej

szukać. Szła na palcach, od drzewa do drzewa, przystając co chwila, by rozejrzeć się dookoła.

Las był tak cichy, że nie miała wątpliwości, skąd dochodzi plusk wody. Z każdym krokiem stawał się coraz głośniejszy. Wkrótce — wcześniej niż się spodziewała — doszła do otwartej polany i zobaczyła strumień, czysty jak kryształ, biegnący wśród trawy na odległość rzutu kamieniem. Ale chociaż widok wody sprawił, że poczuła pragnienie dziesięć razy większe, nie podbiegła do niej, aby się napić. Stała, wstrzymując oddech, z otwartymi ustami. A miała do tego powód: po tej stronie strumienia leżał lew.

Leżał z podniesioną głową i wyciągniętymi przed siebie przednimi łapami jak kamienne lwy na Trafalgar Square. Julia wiedziała, że ją zauważył, bo jego oczy patrzyły przez chwilę w jej oczy, a potem odwrócił głowę, jakby znał Julię dobrze i przestał się nią interesować.

„Jeżeli zacznę uciekać, złapie mnie w mgnieniu oka — pomyślała Julia. — A jeśli pójdę dalej, wpadnę mu prosto w łapy." Ale i tak nie mogła się ruszyć, gdyby nawet chciała, i nie mogła oderwać od niego oczu. Jak długo to trwało, nie wiedziała, mogło trwać całe godziny. Pragnienie stawało się tak męczące, że była już bliska pozwolenia lwu, by ją pożarł, gdyby tylko miała pewność, że przedtem zdąży przełknąć porządny łyk wody.

— Jeśli jesteś spragniona, możesz się napić.

Były to pierwsze słowa, jakie usłyszała od czasu kłótni ze Scrubbem na skraju przepaści. Przez chwilę rozglądała się tu i tam, szukając tego, kto je wypowiedział. Głos powtórzył:

— Jeśli jesteś spragniona, przyjdź i napij się.

Teraz przypomniała sobie, co Scrubb mówił o zwierzętach w tym innym świecie, i zrozumiała, że słyszy głos lwa. W każdym razie dostrzegła ruch jego warg, a głos na pewno nie był głosem człowieka. Był głęboki, trochę dziki, mocny, przywodzący na myśl ciężkie złoto. Julia nie przestraszyła się, bo nic nie mogło już jej bardziej przestraszyć, ale głos napełnił ją innym rodzajem lęku.

— Czy chce ci się pić? — zapytał Lew.

— UMIERAM z pragnienia — powiedziała Julia.

— A więc pij.

— Czy mogłabym... czy byłoby... czy mógłbyś odejść, kiedy będę pić? — wyjąkała Julia.

Lew tylko na nią popatrzył, a w jego gardle odezwało się coś, co mogło być początkiem straszliwego ryku. Patrząc na jego cielsko, Julia pojęła, że równie dobrze mogłaby prosić górę, aby się przesunęła.

Cudowny, pluszczący śpiew strumienia doprowadzał ją do szału.

— Czy przyrzekniesz, że nie... że nic mi nie zrobisz, jeśli się zbliżę?

— Ja nie przyrzekam — powiedział Lew.

Julia była już tak spragniona, że zrobiła krok do przodu, nawet o tym nie wiedząc.

— Czy ty zjadasz dziewczynki?

— Połykałem już dziewczynki i chłopców, kobiety i mężczyzn, królów i cesarzy, miasta i państwa — powiedział Lew. Nie powiedział tego tak, jakby się chwalił albo jakby tego żałował, albo jakby był zły. Po prostu to powiedział.

— Nie mam odwagi, aby podejść i pić — odezwała się Julia.

— A więc umrzesz z pragnienia — rzekł Lew.

— Och, nie! — zawołała Julia, robiąc jeszcze jeden krok w jego stronę. — Czy nie mogłabym pójść i poszukać sobie innego strumienia?

— Nie ma innego strumienia — odpowiedział Lew.

Nie przyszło jej do głowy, żeby mu nie uwierzyć; jestem zresztą pewny, że nie przyszłoby to do głowy nikomu, kto widział to spojrzenie. Nagle podjęła decyzję. Była to najtrudniejsza rzecz, jaką zdarzyło jej się zrobić. Podeszła do strumienia, uklękła i nabrała w dłonie wody — najchłodniejszej i najbardziej orzeźwiającej wody, jaką kiedykolwiek piła. Nie trzeba było pić jej dużo, od razu gasiła pragnienie. Zanim nachyliła się nad strumieniem, przyrzekła sobie uciec od Lwa natychmiast, gdy tylko się napije. Teraz zrozumiała, że byłoby to najgorsze, co mogłaby zrobić. Wyprostowała się i stała bez ruchu z mokrymi ustami.

— Podejdź do mnie — powiedział Lew. I Julia musiała to zrobić. Znalazła się prawie między jego przednimi łapami i spojrzała mu w oczy. Ale nie mogła patrzyć długo. Spuściła głowę.

— Ludzkie Dziecię — rzekł Lew — gdzie jest chłopiec?

— Spadł z krawędzi urwiska... — odpowiedziała Julia i dodała szybko: — ...Panie. — Nic innego nie przyszło jej do głowy, a wydawało się zuchwalstwem nie nazwać go w jakiś sposób.

— Jak do tego doszło, Ludzkie Dziecię?

— Próbował mnie uratować. Gdyby nie on, spadłabym w przepaść.

— Dlaczego znalazłaś się tak blisko krawędzi?

— Chciałam pokazać, jaka jestem dzielna.

— To bardzo dobra odpowiedź, Ludzkie Dziecię. Nie rób tego więcej. A teraz — i tu po raz pierwszy głos Lwa zabrzmiał mniej surowo — teraz dowiedz się, że chłopiec czuje się dobrze. Zdmuchnąłem go do Narnii. Twoje zadanie będzie jednak trudniejsze ze względu na to, co zrobiłaś.

— Co to za zadanie? — spytała Julia.

— Jest to zadanie, z powodu którego wezwałem ciebie i jego z waszego świata.

To, co usłyszała, bardzo ją zaskoczyło. „Chyba myli mnie z kimś innym", pomyślała. Nie śmiała jednak powiedzieć tego na głos, chociaż czuła, że jeśli będzie milczeć, wszystko się jeszcze bardziej pogmatwa.

— Powiedz mi, o czym myślisz, Ludzkie Dziecię? — zapytał Lew.

— Zastanawiam się... to znaczy... czy nie zaszła jakaś pomyłka? Bo przecież nikt mnie i Scrubba nie wzywał. To my sami bardzo chcieliśmy się tu dostać. Scrubb mówił, że musi o to poprosić... tego Kogoś... nigdy nie słyszałam tego imienia... i może wtedy ten Ktoś nam pozwoli. I poprosiliśmy, a potem okazało się, że drzwi są otwarte.

— Nie wzywalibyście mnie, gdybym ja sam was nie wezwał — powiedział Lew.

— A więc to ty jesteś owym Kimś?

— Tak, to ja. A teraz posłuchaj, jakie masz zadanie. Daleko stąd, w krainie Narnii, żyje sędziwy król, bardzo zasmucony, bo nie ma syna, który miał po nim panować. Nie ma dziedzica, ponieważ jego jedyny syn zaginął wiele lat temu i nikt w Narnii nie wie, gdzie on jest i czy jeszcze żyje. Oto moje polecenie: macie szukać tego królewicza dotąd, dopóki go nie znajdziecie i nie przyprowadzicie do jego ojca, chyba że spotka was śmierć... albo też powrócicie do swojego świata.

— Ale jak?... Powiedz mi, Panie, jak mamy tego dokonać?

— Powiem ci, dziecko. Oto są Znaki, którymi będę was prowadził. Pierwszy: gdy tylko chłopiec Eustachy znajdzie się w Narnii, spotka swojego starego, dobrego przyjaciela. Musi go zaraz powitać, a on wam bardzo pomoże. Drugi: musicie opuścić Narnię i udać się na północ, aż znajdziecie ruiny miasta starożytnych olbrzymów. Trzeci: w tych ruinach znajdziecie napis na kamieniu i musicie zrobić to, co napis mówi. Czwarty: poznacie zaginionego królewicza (jeśli go znajdziecie) po tym, że będzie pierwszą osobą w waszej wędrówce, która poprosi was o coś w moje imię, w imię Aslana.

Wszystko wskazywało na to, że Lew skończył, i Julia pomyślała, że powinna coś powiedzieć. Powiedziała więc:

— Aha, rozumiem. Bardzo dziękuję.

— Moje dziecko — rzekł Lew łagodnie — być może nie rozumiesz wszystkiego tak, jak ci się wydaje. Ale pierwszy krok to zapamiętanie tego, co ci powiedziałem. Powtórz po kolei wszystkie cztery Znaki.

Julia spróbowała powtórzyć cztery Znaki, ale nie bardzo jej to wyszło. Lew poprawił ją i kazał powtarzać Znaki kilka razy, aż mogła je wyrecytować poprawnie. Wykazywał przy tym wiele cierpliwości, tak że wreszcie Julia nabrała odwagi, by go zapytać:

— Czy mógłbyś mi powiedzieć, jak się dostanę do Narnii?

— Polecisz tam na moim oddechu — odrzekł Lew. — Zdmuchnę cię na zachód świata, jak to uczyniłem z Eustachym.

— Myślę, że powinnam go złapać we właściwym

czasie, żeby mu zdążyć powiedzieć, jaki jest pierwszy Znak. Chociaż... to chyba nie ma znaczenia. Jeśli zobaczy swojego starego przyjaciela, to na pewno go pozdrowi, prawda?

— Nie ma czasu do stracenia — powiedział Lew. — Muszę cię tam wysłać natychmiast. Idź przede mną do krawędzi urwiska.

Julia wiedziała zbyt dobrze, że jeśli czas nagli, to tylko z jej winy. „Gdybym się tak nie wygłupiła, bylibyśmy teraz razem, Eustachy i ja. A wtedy on sam usłyszałby wszystkie wskazówki." Zrobiła więc szybko to, czego Lew żądał. Powrót do krawędzi przepaści nie był przyjemny, zwłaszcza że Lew nie kroczył obok niej, lecz za nią, nie czyniąc przy tym najmniejszego hałasu.

Ale zanim zbliżyła się do krawędzi, usłyszała za sobą głos:

— Zatrzymaj się i stój spokojnie. Za chwilę zacznę dmuchać. Ale przede wszystkim: pamiętaj, pamiętaj, pamiętaj o Znakach. Powtarzaj je sobie, kiedy obudzisz się rano i kiedy będziesz wieczorem kładła się spać, i kiedy przebudzisz się w środku nocy. I cokolwiek dziwnego się wydarzy, niech nic nie wymaże z twej pamięci Znaków. A po drugie: ostrzegam cię. Tu, na górze, mówiłem do ciebie jasno, ale w Narnii tak nie będzie. Tu, na tej górze, powietrze jest czyste, a twój umysł jasny, kiedy jednak znajdziesz się w Narnii, powietrze będzie gęstsze. Dbaj o to, by nie zaciemniło twojego umysłu. A Znaki, których cię tu nauczyłem, wcale nie będą wyglądały tak, jak się tego spodziewasz. Właśnie dlatego jest tak ważne, aby je dobrze pamiętać i nie sądzić po pozorach. Pamiętaj o Znakach i ufaj Znakom. Wszystko inne nie ma znaczenia. A teraz, Córko Ewy, żegnaj...

W miarę jak kończył mówić, jego głos cichł coraz bardziej, aż ucichł zupełnie. Julia odwróciła głowę i ku swemu zdumieniu zobaczyła skalne urwisko jakieś dwieście metrów za sobą. Na jego krawędzi jaśniała złota plamka, która musiała być Lwem. Słuchając tego, co mówił, Julia zaciskała już zęby i pięści, szykując się na straszliwe uderzenie jego potężnego tchnienia, a tymczasem okazało się tak łagodne, że nawet nie zauważyła, kiedy znalazła się w powietrzu. A teraz — wokół niej, nad nią i tysiące, tysiące metrów pod nią — nie było już nic prócz powietrza.

Jej przerażenie trwało tylko sekundę. Świat był tak daleko, tak nieskończenie daleko, że wydawał się nie mieć z nią nic wspólnego, a unoszenie się w powietrzu na tchnieniu Lwa było łagodne i przyjemne. Odkryła, że może leżeć na plecach albo na brzuchu, albo obracać się w różne strony zupełnie tak jak w wodzie (jeśli się umie naprawdę dobrze pływać). A ponieważ leciała z tą samą prędkością co tchnienie, nie czuła najlżejszego powiewu. Nie przypominało to również lotu samolotem, bo nie było żadnego hałasu ani wibracji. Gdyby Julia leciała kiedyś balonem, mogłaby pomyśleć, że to wrażenie jest najbliższe, tyle że jej lot był o wiele przyjemniejszy.

Kiedy teraz spojrzała za siebie, mogła po raz pierwszy ocenić prawdziwe rozmiary góry, którą opuściła w tak niecodzienny sposób. Dziwiła się, że tak wielka góra nie była pokryta śniegiem i lodem. „Przypuszczam, że w tym świecie po prostu wszystko dzieje się inaczej", pomyślała. Potem spojrzała w dół, ale szybowała tak wysoko, że trudno było wywnioskować, czy leci nad ziemią, czy nad morzem; trudno też było określić szybkość lotu.

— O Boże! Znaki! — zawołała nagle. — Lepiej je powtórzę. — Przez chwilę ogarnęła ją panika, ale okazało się, że wciąż potrafi je wyrecytować we właściwej kolejności. — A więc wszystko w porządku. — Po czym ułożyła się wygodnie na plecach, jakby była na kanapie, i westchnęła z rozkoszy.

— Hej, niech mnie gęś kopnie, jeśli nie spałam! — powiedziała do siebie Julia w kilka godzin później. — Ot, po prostu spałam sobie w powietrzu. Chyba nikt jeszcze tego nie robił przede mną. Nie! Nie bądź głupia, panno Pole! Przecież nieco wcześniej na pewno Scrubb drzemał sobie podczas takiej samej podróży. Ale popatrzmy, co to takiego, tam w dole. Wygląda jak mech...

W dole majaczyła rozległa, ciemnogranatowa równina. Nie było widać żadnych wzgórz, tylko jakieś duże, białe plamy, przesuwające się powoli po równinie. „To przecież chmury! — pomyślała. — Tylko o wiele większe niż te, które widziałam ze szczytu góry. Chyba dlatego są większe, że są bliżej. Czyżbym się zniżała? Ojej, żeby można było coś zrobić z tym słońcem!"

Słońce, które na początku powietrznej podróży Julii było wysoko nad głową, teraz świeciło prosto w oczy. Eustachy miał zupełną rację, że Julia (nie wiem, jak to jest ze wszystkimi dziewczynkami) nie bardzo się orientuje w stronach świata. Bo gdyby się orientowała, wiedziałaby, że leci prawie dokładnie na zachód.

Przypatrując się granatowej równinie, zauważyła na niej małe, nieco jaśniejsze plamki. „To jest morze! — pomyślała. — I naprawdę, głowę bym dała, że to wyspy." I miała rację. Bardzo możliwe, że byłaby trochę zazdrosna, gdyby wiedziała, że są to wyspy, które Scrubb widział już kiedyś z pokładu statku (a nawet po niektórych chodził), ale nie miała o tym pojęcia. Nieco później zaczęła dostrzegać zmarszczki na gładkiej dotąd niebieskiej płaszczyźnie: maleńkie zmarszczki, które musiały być wielkimi morskimi falami dla tych, którzy płynęli pośród nich okrętem. A potem na horyzoncie pojawiła się gruba, ciemna kreska, która tak szybko robiła się coraz grubsza i coraz ciemniejsza, że dosłownie rosła w oczach. Teraz dopiero uświadomiła sobie, jak szybko leciała. I była pewna, że rosnąca w oczach linia jest lądem.

Naraz z lewej strony (ponieważ wiatr dął od południa) pojawiła się wielka, biała chmura, pędząca ku niej na tej samej wysokości. Zanim Julia zrozumiała, co się dzieje, dała nurka prosto w zimną, mokrą mglistość. Wstrzymała oddech, lecz na szczęście po kilku sekundach wystrzeliła w pełne słońce, oślepiona jego blaskiem. Ubranie zrobiło się wilgotne. (Miała na sobie żakiet, sweter, krótką spódnicę, pończochy i dość ciężkie buty — w Anglii był to mglisty, chłodny dzień.) Wynurzyła się z chmury o wiele niżej i natychmiast dotarło do niej coś, czego, jak sądzę, powinna się była spodziewać, a jednak było dla niej dużym wstrząsem.

Usłyszała dźwięki. Aż dotąd leciała w całkowitej ciszy. Teraz dobiegł ją po raz pierwszy szum fal i krzyk mew. A potem poczuła zapach morza. Z jaką szybkością leciała! Zobaczyła dwie wielkie fale zderzające się z łoskotem, ale zanim zdążyła się przyjrzeć grzywie piany, która pojawiła się w wyniku tego zderzenia, była już ze sto metrów za nią. Ląd zbliżał się coraz szybciej. W głębi dostrzegła góry, a potem inne pasmo, nieco bliżej brzegu, na lewo od siebie. Widziała zatoki i przylądki, lasy i pola, łachy piaszczystej plaży. Huk załamujących się na brzegu fal narastał z każdą chwilą i wkrótce zagłuszył wszystkie inne dźwięki.

Nagle wprost przed nią ukazał się ląd. Leciała ku ujściu jakiejś wielkiej rzeki. Była teraz tak nisko, że w pewnej chwili wielki jęzor bałwana dosięgnął jej stóp, a bryzgi piany zmoczyły ją aż do pasa. Wyraźnie traciła szybkość. Łagodne tchnienie niosło ją ku lewemu brzegowi rzeki. Było tu tyle niespodziewanych i ciekawych rzeczy, że Julia nie nadążała wszystkiemu dobrze się przyjrzeć: gładka zielona łąka, okręt, tak cudownie pomalowany, że wyglądał jak wielki drogocenny klejnot, wieże i blanki, proporce powiewające na wietrze, tłum, kolorowe stroje, kolczugi, złote ozdoby, miecze, dźwięk muzyki. W każdym razie wiedziała jedno: że ląduje pod drzewami nad brzegiem rzeki, a kilka metrów od niej stoi Eustachy Scrubb.

Kiedy na niego spojrzała, wydał się jej okropnie brudny, niechlujny i bardzo niepozorny. A potem pomyślała: „O Boże, jaka jestem mokra!"

Rozdział 3

MORSKA WYPRAWA KRÓLA

Tym, co sprawiało, że Eustachy wydał się jej tak bardzo niepozorny i brudny (sama zresztą nie wyglądała ani trochę lepiej), była wspaniałość tego, co ich otaczało. Lepiej będzie, jak to zaraz opiszę.

Przez przełęcz w górach, które Julia widziała z wysoka w głębi lądu, wlewało się na zielone błonie światło zachodzącego słońca. Na skraju łąki, z chorągiewkami mieniącymi się na szczytach baszt i wieżyczek, wznosił się najwspanialszy zamek, jaki kiedykolwiek widziała. Na brzegu zaś — przystań z wykładanymi marmurem nabrzeżami, a w niej okręt: strzelisty, złotopurpurowy okręt z wysoką dziobówką i jeszcze wyższą sterówką, z wielką flagą na szczycie masztu, z proporcami powiewającymi z pokładów i rzędem jaśniejących srebrem tarcz wywieszonych wzdłuż burt. Z nabrzeża przerzucony był na statek pomost, a przed nim, gotów do wejścia na pokład, stał sędziwy mężczyzna. Ubrany był w królewski szkarłatny płaszcz, który rozchylał się, ukazując srebrną kolczugę. Na głowie miał złoty diadem. Biała, wełnista broda opadała mu prawie do pasa. Stał wyprostowany, wspierając się jedną ręką na ramieniu bogato ubranego barona, nieco młodszego od siebie, choć również sędziwego i wątłego. Zdawało się, że silniejszy podmuch wiatru może go unieść w powietrze. W oczach miał łzy.

Tuż przed królem — który odwrócił się teraz, aby przemówić do swego ludu przed wejściem na pokład okrętu — stało coś w rodzaju fotela na kółkach, do którego był zaprzężony osiołek niewiele większy od dużego psa. W fotelu siedział gruby karzeł. Ubrany był równie bogato jak król, ale jego tusza i stos poduszek, którymi był obłożony, sprawiały, że efekt był zupełnie różny: wyglądał jak bezkształtny worek z jedwabiu i aksamitu. Był tak stary jak król, lecz bardziej żwawy i krzepki, a oczy miał uderzająco bystre i przenikliwe. Jego łysa, niezwykle duża głowa lśniła w blasku zachodzącego słońca jak olbrzymia kula bilardowa.

Nieco dalej stała półkolem grupa osób, w których nietrudno było się domyślić królewskich dworzan. Już na same ich szaty i zbroje warto było popatrzyć. Prawdę mówiąc, bardziej przypominali kwitnący klomb niż tłum. Ale nie stroje tych ludzi sprawiły, że Julia otworzyła szeroko oczy i usta. Jeśli tylko „ludzie" jest odpowiednim słowem... Przynajmniej czterech na pięciu dworzan wcale nie było ludźmi! Były to istoty, jakich się nie widuje w naszym świecie: fauny, satyry, centaury — Julia potrafiła je nazwać, bo widziała je kiedyś na obrazkach. Były też karły. I mnóstwo zwierząt, które dobrze znała: niedźwiedzie, borsuki, krety, leopardy, myszy i rozmaite ptaki. Jednak wszystkie te zwierzęta bardzo się różniły od tych, jakie można zobaczyć w Anglii. Niektóre były o wiele większe, na przykład myszy stojące na tylnych łapach miały chyba metr wysokości. A niezależnie od rozmiarów wszystkie zwierzęta wyglądały zupełnie inaczej. Już z samego wyrazu twarzy widać było, że potrafią mówić i myśleć tak jak my.

„Ojej, a więc to wszystko prawda! — pomyślała Julia. — Tylko czy aby na pewno są przyjazne?" Na skraju tłumu zauważyła właśnie dwa lub trzy olbrzymy i jakieś istoty, których w ogóle nie potrafiła nazwać.

W tym momencie przypomniała sobie o Aslanie i Znakach.

— Eustachy! — szepnęła, chwytając go za ramię. — Eustachy, szybko! Czy widzisz kogoś znajomego?

— A więc znowu MIAŁAŚ szczęście? — przywitał ją Scrubb niezbyt miłym tonem (i trzeba przyznać, że miał ku temu powody). — Ale może byś zechciała siedzieć cicho? Chcę posłuchać.

— Nie bądź głupi. Musimy się spieszyć. Czy widzisz tu jakiegoś swojego dawnego przyjaciela? Bo musisz iść i natychmiast do niego przemówić.

— O czym ty właściwie mówisz?

— To Aslan, ten Lew, każe ci to zrobić — odparła Julia z rozpaczą w głosie. — Widziałam go.

— Ach tak? I co on takiego powiedział?

— Powiedział, że pierwszą osobą, którą zobaczysz w Narnii, będzie pewien stary przyjaciel i musisz natychmiast do niego przemówić.

— No cóż, nie ma tu nikogo, kogo bym już widział w swym życiu, a w ogóle to wcale nie mam pewności, czy jesteśmy w Narnii.

— Wydawało mi się, że byłeś tu kiedyś — zauważyła Julia.

— A więc źle ci się wydawało.

— A to dopiero! Mówiłeś, że...

— Na miłość boską, zamknij się wreszcie i pozwól mi posłuchać, co oni tam mówią!

Król powiedział teraz coś do karła, ale Julia nie dosłyszała co. Karzeł nie odpowiedział, tylko pokiwał głową, a potem potrząsnął nią kilka razy. Potem król podniósł głos, zwracając się do całego dworu, ale był to głos tak łamiący się i słaby, że niewiele zrozumiała z tej mowy, zwłaszcza że pełno w niej było imion ludzi i nazw miejsc, o których nigdy przedtem nie słyszała. Skończywszy swą mowę, król nachylił się i ucałował karła w oba policzki, wyprostował się, podniósł prawą rękę jakby w geście błogosławieństwa i powoli, niepewnym krokiem wszedł na pomost, a potem na pokład okrętu. Dworzanie wyglądali na bardzo wzruszonych jego odjazdem. Pojawiły się chusteczki, a ze wszystkich stron rozległo się pochlipywanie i łkanie. Podniesiono trap, z pokładu sterówki zagrzmiały trąby i okręt odbił od nabrzeża. (Poruszał się na wiosłach, ale tego Julia nie zauważyła.)

— No, a teraz... — zaczął Eustachy, ale nie skończył, ponieważ w tym samym momencie coś wielkiego i białego — Julia myślała przez chwilę, że to latawiec — poszybowało w powietrzu i wylądowało u ich stóp. Był to biały puchacz, tak duży jak sporego wzrostu karzeł. Na przemian mrużył i wytrzeszczał oczy, jakby miał bardzo krótki wzrok, a potem nieco przekrzywił głowę i przemówił matowym, huczącym głosem:

— Tu-huuuu, tu-huuu! Kim jesteście?

— Nazywam się Scrubb, a to jest Pole — powiedział Eustachy. — Czy mógłbyś nam powiedzieć, gdzie jesteśmy?

— W krainie Narnii, przy królewskim zamku Ker-Paravel.

— Czy to król właśnie odpływa?

— Niestety, niestety — odpowiedział puchacz ponuro, trzęsąc wielką głową. — Ale kim wy jesteście? Otacza was jakaś magia. Widziałem wasze przybycie: PRZYLECIELIŚCIE. Wszyscy byli tak zajęci żegnaniem króla, że nikt o tym jeszcze nie wie. Oprócz mnie. Miałem szczęście was zauważyć. Wasz przylot.

— Zostaliśmy tu przysłani przez Aslana — powiedział Eustachy przyciszonym głosem.

— Tu-huuuu! Tu-huuuu! — zahuczał puchacz,

strosząc pióra. — To dla mnie trochę za wiele tak wcześnie wieczorem. Nie czuję się zbyt dobrze przed zachodem słońca.

— Zostaliśmy tu przysłani, aby odnaleźć zaginionego królewicza — wtrąciła Julia, która od pewnego czasu wierciła się niecierpliwie, pragnąc włączyć się do rozmowy.

— Pierwsze słyszę — rzekł Eustachy. — Jakiego znowu królewicza?

— Powinniście od razu iść i porozmawiać z Lordem Regentem — powiedział puchacz. — To ten w wózku zaprzężonym w osła. Karzeł Zuchon. — Odwrócił się i zaczął ich prowadzić, mrucząc do siebie: — Huuuu! Tu-huuuu! Co robić tu-uuu! Trudno mi zebrać myśli. Jest za wcześnie.

— Jak się król nazywa? — zapytał Eustachy.

— Kaspian Dziesiąty — odrzekł puchacz, a Julia ze zdziwieniem spostrzegła, że Scrubb nagle stanął jak wryty, a potem zaczął iść dalej z wypiekami na twarzy. Nigdy jeszcze nie widziała go w takim stanie. Ale nie miała czasu, by zadać mu jakieś pytanie, bo już stanęli przed karłem, który właśnie ściągał lejce, zamierzając zapewne wrócić do zamku. Tłum dworzan też już się rozszedł, opuszczając nabrzeże jak ludzie powracający z meczu lub wyścigów.

— Tu-huuuu! Lordzie Regencie! — zahuczał puchacz, zbliżając haczykowaty dziób do jego ucha.

— Hę? Co znowu? — zapytał karzeł.

— Dwoje cudzoziemców, panie — powiedział puchacz.

— Rozjemców? Co masz na myśli? — zdziwił się karzeł. — Widzę dwoje małych, niezwykle brudnych ludzików. Czego chcą?

— Nazywam się Julia — powiedziała Julia, zrobiwszy krok naprzód, chcąc jak najszybciej ukazać wagę sprawy, z jaką przybywają.

— Dziewczynka nazywa się Julia! — huknął puchacz tak głośno, jak potrafił.

— Co? — zawołał karzeł. — Dziewczynka nieżywa się turla? Jest martwa? Nie mogę w to uwierzyć. Co za dziewczynka? Kto ją zabił?

— To jest żywa dziewczynka — powiedział puchacz. — Ma na imię Julia.

— Powiedz wreszcie, o co chodzi — zniecierpliwił się karzeł — i przestań mi brzęczeć i ćwierkać do ucha. Kto został zabity?

— Nikt nie został zabity — huknął puchacz.

— Kto?

— NIKT!

— W porządku, w porządku. Nie musisz wrzeszczeć. Nie jestem w końcu tak głuchy. Ale dlaczego właściwie przychodzisz tu i mówisz mi, że nikt nie został zabity? Dlaczego ktoś miałby być zabity?

— Powiedz mu lepiej, że ja nazywam się Eustachy — wtrącił się Scrubb.

— Chłopiec nazywa się Eustachy — zahuczał puchacz ze wszystkich sił.

— Strachy? — spytał karzeł lekko poirytowany. — Trudno zaprzeczyć, że wyglądają jak strachy. Czy jest jakiś powód, dla którego mieliby być przyjęci na dworze? Hę?!

— Nie strachy — wyjaśnił puchacz. — EUSTACHY!

— Nosy w piachy? To po nich widać. Nie wiem tylko, o czym ty właściwie mówisz. Ale coś ci powiem, panie Świecopuchu. Kiedy byłem młodym karłem, w tym kraju BYŁY mówiące zwierzęta, które rzeczywiście potrafiły mówić. Nie mamlać, mamrotać i szeptać, ale mówić. I mam już tego naprawdę dość. Nie będziemy tego dłużej tolerować, mój panie. Urnusie, moja trąbka...

Mały faun, który przez cały czas stał spokojnie przy wózku, podał mu srebrną trąbkę. Przypominała instrument muzyczny zwany serpentem. Karzeł założył ją na szyję, wtykając cienki koniec do ucha. Wykorzystując chwilę przerwy w rozmowie, puchacz szepnął do dzieci:

— Mój mózg pracuje już nieco lepiej. Nie mówcie nic o zaginionym królewiczu. Później wam to wyjaśnię. To nic nie da tu, tu-huuu! Och, co za awantu-uura!

— No, a teraz — rzekł karzeł — jeśli MASZ coś do powiedzenia, mistrzu Świecopuchu, spróbuj to wreszcie zrobić. Weź głęboki oddech i staraj się nie mówić zbyt szybko.

Przy pomocy dzieci i pomimo ataku kaszlu, jaki złapał karła w trakcie rozmowy, Świecopuch wyjaśnił, że cudzoziemcy zostali wysłani przez Aslana, aby złożyć wizytę na dworze króla Narnii. Karzeł popatrzył na nich bystro z zupełnie innym wyrazem twarzy.

— Przysłani przez samego Lwa, hę? — powiedział. — Z tego... hm... z tego Innego Miejsca... za końcem świata, hę?

— Tak, mój panie! — wrzasnął Eustachy do wylotu trąbki.

— Syn Adama i Córka Ewy, hę? — zapytał karzeł. Ale w Eksperymentalnej Szkole nie uczono o Adamie i Ewie, więc Julia i Eustachy nie mogli tego potwierdzić. Na szczęście karzeł nie zwrócił na to uwagi.

— Cóż, moi kochani — przemówił, biorąc każde za rękę i przechylając lekko głowę. — Jesteście tu bardzo miłymi gośćmi. Gdyby król, mój biedny pan, nie pożeglował dopiero co ku Siedmiu Wyspom, na pewno bardzo by się ucieszył z waszego przybycia. Na pewno choć na chwilę... ach na chwilę... przywróciłoby mu to jego młodość. No, ale już najwyższy czas na kolację. Jutro rano opowiecie mi dokładnie, co za sprawa was tu sprowadza. Mistrzu Świecopuchu, dopilnuj, aby goście otrzymali wszystko, co trzeba, kwatery, stroje, wszystko, jak przystało na najbardziej honorowych gości. I, Świecopuchu, nachyl ucha...

Tu karzeł zbliżył usta do ucha puchacza, mając

bez wątpienia zamiar powiedzieć coś szeptem, ale, jak to bywa z głuchymi, nie potrafił najlepiej ocenić siły swojego głosu i dzieci usłyszały wyraźnie, jak dodał:

— I przypilnuj, żeby się dobrze umyły!

Potem lekko potrząsnął lejcami i osiołek ruszył w stronę zamku czymś pomiędzy truchtem konia i chodem kaczki (był to bardzo mały i gruby osioł), podczas gdy faun, puchacz i dzieci podążali za nim nieco wolniej. Słońce już zaszło i robiło się coraz chłodniej.

Przeszli przez błonie, a potem przez sad do Północnej Bramy Ker-Paravelu. Brama była otwarta. Wewnątrz zobaczyli porośnięty trawą dziedziniec. Okna w wielkiej sali tronowej (po prawej stronie) i w wielu różnych budynkach przed nimi jarzyły się już światłem. Właśnie tam poprowadził ich puchacz, a kiedy już byli w środku, zabrał gdzieś Eustachego, zostawiając Julię z wezwaną wcześniej cudowną istotą. Była to młoda dziewczyna, niewiele wyższa od Julii, ale o wiele bardziej smukła i z pewnością starsza, pełna wdzięku młodej wierzby. Prawdę mówiąc, jej włosy były naprawdę bardzo wierzbowate i wydawało się, że jest w nich mech. Dziewczyna zaprowadziła Julię do okrągłej komnaty w jednej z wieżyczek, gdzie w podłogę wpuszczona była balia, na palenisku płonęły polana słodko pachnącego drewna, a ze sklepionego sufitu zwieszała się na srebrnym łańcuchu lampa. Okno wychodziło na zachód i Julia ujrzała przez nie czerwone, szybko ciemniejące niebo poza dalekimi szczytami gór. Na ten widok zatęskniła za nowymi przygodami i poczuła, że to dopiero początek.

Kiedy się wykąpała, wyszczotkowała włosy i włożyła szaty, które jej przygotowano — a były to takie szaty, że nie tylko miło ich było dotykać, ale wyglądały miło, pachniały miło i szeleściły miło przy poruszaniu — miała właśnie zamiar wrócić, aby jeszcze raz popatrzyć przez okno w łaźni na ten wspaniały, ekscytujący widok, gdy usłyszała pukanie do drzwi.

— Proszę wejść — powiedziała Julia. Wszedł Eustachy, też już wykąpany i ubrany we wspaniałe narnijskie szaty. Ale nie wyglądał na bardzo zadowolonego.

— Więc wreszcie jesteś — powiedział sucho, opadając na krzesło. — Dość długo cię szukałem.

— No i znalazłeś. Słuchaj, Eustachy, czy to wszystko nie jest zbyt szałowe i niesamowite, by dało się wyrazić słowami? — Na chwilę zupełnie zapomniała o Znakach i zaginionym królewiczu.

— Tak myślisz? — zapytał Eustachy, a po chwili dodał: — Wiele bym dał za to, żebyśmy się tu nie znaleźli.

— Co ci przyszło do głowy?

— Nie mogę tego znieść. Widok króla Kaspiana... trzęsącego się starca... to... to... okropne.

— Ale dlaczego? Dlaczego ci to przeszkadza?

— Ach, nie możesz tego zrozumieć. Teraz dopiero do mnie dotarło, że nie możesz. Nie powiedziałem ci, że w tym świecie czas biegnie zupełnie inaczej niż w naszym.

— Co chcesz przez to powiedzieć?

— Czas, który tu spędzamy, nie zabiera nic z naszego czasu na ziemi. Rozumiesz już? Możemy tu być nie wiem jak długo, a jednak wrócimy do Eksperуmentalnej Szkoły w tym samym momencie, w którym ją opuściliśmy.

— To wcale nie jest zabawne...

— Och, cicho bądź! Przestań wreszcie przerywać. A kiedy się jest z powrotem w Anglii — w naszym świecie — nigdy się nie wie, ile czasu upływa tutaj. U nas mija rok, a tu, w Narnii, może upłynąć każda liczba lat. To rodzeństwo Pevensie, o którym ci już mówiłem, wszystko mi wyjaśniało, ale ja, głupi, zupełnie o tym zapomniałem. A teraz najwyraźniej upłynęło z siedemdziesiąt lat, narnijskich lat, od czasu, kiedy byłem tu ostatnim razem. Czy teraz rozumiesz? I wracam tu, i widzę Kaspiana starcem.

— A więc król BYŁ twoim dawnym przyjacielem? — wykrzyknęła Julia. Przeraził ją sens tego zdania.

— Pewno, że był — powiedział Eustachy ze smutkiem. — Był tak dobrym przyjacielem, że trudno to sobie w ogóle wyobrazić. I ostatnim razem miał zaledwie parę lat więcej ode mnie. I kiedy teraz widzę tego starca z białą brodą, i kiedy przypominam sobie Kaspiana, jakim był tego ranka, gdy wzięliśmy szturmem Samotne Wyspy, albo w walce z wężem morskim... Nie, to straszne! To gorsze, niż gdybym zastał go martwym.

— Och, przestań wreszcie gadać! — zdenerwowała się Julia. — Jest gorzej, niż myślisz. Nawaliliśmy przy pierwszym Znaku.

Oczywiście Eustachy nic z tego nie zrozumiał. Julia opowiedziała mu więc o swojej rozmowie z Aslanem, o czterech Znakach i o postawionym przed nimi zadaniu odnalezienia zaginionego królewicza.

— No więc teraz rozumiesz, co się stało — zakończyła. — Zobaczyłeś swojego starego przyjaciela, tak jak Aslan powiedział, i powinieneś od razu do niego podejść i przemówić. Ale nie zrobiłeś tego i od samego początku poszło nam bardzo źle.

— Ale skąd mogłem o tym wiedzieć?! — zapytał Scrubb.

— Wystarczyłoby, żebyś mnie wysłuchał, kiedy ci to próbowałam powiedzieć, a wszystko byłoby w porządku.

— Tak, i gdybyś się nie wygłupiała na krawędzi przepaści i prawie mnie tam nie zamordowała... Tak, powiedziałem ZAMORDOWAŁA i będę to powtarzał tak często, jak mi się będzie podobało. Przestań się gorączkować. To jasne, że byłoby inaczej, gdybyśmy tu przybyli razem i gdybyśmy oboje wiedzieli, co robić.

— Czy na pewno to ON był pierwszą osobą, którą zobaczyłeś? Musiałeś tu przecież wylądować parę godzin przede mną. Jesteś pewien, że przedtem nikogo innego nie widziałeś?

— Przyleciałem zaledwie minutę przed tobą. Aslan musiał cię tu zdmuchnąć trochę szybciej niż mnie. Pewnie ze względu na stracony czas, stracony przez CIEBIE.

— Nie bądź świnią, Eustachy — zezłościła się Julia. — Hej! A co to takiego?

Był to dźwięk dzwonu wzywający na kolację i w ten sposób ich rozmowa, która zanosiła się na ostrą sprzeczkę, została szczęśliwie przerwana.

Podana w wielkiej sali królewskiej kolacja była najwspanialszą ucztą, jaką każde z nich kiedykolwiek widziało. Chociaż bowiem Eustachy był już kiedyś w tym świecie, spędził cały czas na morzu i nie miał pojęcia o gościnności i dworskości Narnijczyków w ich własnym kraju. Z sufitu spływały barwne chorągwie, a wniesienie każdego dania poprzedzały fanfary i bębny. Były tam zupy, na których samo wspomnienie ślinka napływa do ust, były wyborne ryby zwane pawenderami, dziczyzna, pawie i pasztety, lody, galaretki, owoce i orzechy oraz najrozmaitsze gatunki win i soków owocowych. Nawet Eustachy rozochocił się i zauważył, że „to jest naprawdę coś". A kiedy już zaspokojono głód i pragnienie, wystąpił niewidomy bard i opowiedział starą, słynną sagę o Księciu Korze, o Arawis i o koniu Bri, znaną pod tytułem *Koń i jego chłopiec.* Jest to opowieść o przygodach, jakie działy się w Narnii, w Kalormenie i w krajach leżących między nimi w Złotym Wieku, kiedy Wielkim Królem na Ker-Paravelu był Piotr. (Nie mam czasu, aby ją teraz opowiedzieć, ale muszę to kiedyś zrobić, bo warto.)

Kiedy śmiertelnie znużeni wlekli się po schodach do swoich sypialni, Julia ziewnęła i powiedziała:

— Założę się, że tej nocy będziemy dobrze spać.

Jak mało się niekiedy wie, co ma się stać w najbliższej przyszłości!

Rozdział 4

SOWI SEJM

Śmieszne to, ale prawdziwe: im bardziej jest się śpiącym, tym więcej czasu upływa, zanim się położy do łóżka, zwłaszcza gdy się ma to szczęście, że w pokoju jest kominek. Julia stwierdziła, że za nic nie zacznie się rozbierać, dopóki nie posiedzi choć trochę przed płonącym kominkiem. A kiedy już usiadła, nie chciało się jej wstać. Chyba po raz piąty mówiła sobie: „Muszę iść do łóżka", gdy nagle usłyszała bębnienie w okno.

Poderwała się, rozchyliła zasłonę i przez chwilę nie widziała nic prócz ciemności. Potem wzdrygnęła się i gwałtownie odskoczyła, ponieważ coś wielkiego przycisnęło się do szyby, robiąc straszny hałas. Bardzo nieprzyjemna myśl wpadła jej do głowy: „A może są tutaj jakieś olbrzymie ćmy?" Wstrząsnęła się z odrazy. Ale za chwilę to coś pojawiło się znowu i tym razem była pewna, że zobaczyła zakrzywiony dziób i że to ten dziób bębnił w grube szkło z alarmującym hałasem. „To jakiś wielki ptak — pomyślała Julia. — Czyżby orzeł?" Nie miała zbytniej ochoty na czyjeś odwiedziny, nawet jeśli to miał być orzeł, ale otworzyła okno i wyjrzała. Naraz coś wylądowało na parapecie z głośnym łopotem i stało tam, wypełniając sobą całe okno, tak że Julia musiała się szybko cofnąć, aby zrobić mu miejsce. Był to puchacz.

— Sza! Ciiicho! Tu-huuu, tu-huuu! — powiedział. — Nie rób hałasu. Słuchajcie, czy wy dwoje naprawdę chcecie zrobić to, co macie zrobić?

— Chodzi ci o zaginionego królewicza? — zapytała Julia. — Tak, chcemy. — Przypomniała sobie głos i twarz Lwa, o czym prawie zupełnie zapomniała podczas uczty i bajecznych opowieści w wielkiej sali.

— Świetnie! — rzekł puchacz. — A więc nie traćmy czasu. Muszę was natychmiast stąd zabrać. Polecę i obudzę tego drugiego człowieka. A potem wrócę po ciebie. Lepiej zostaw te dworskie szaty i włóż coś, w czym można podróżować. Będę tu za dwa okamgnienia. Tu-huuuu!

Gdyby Julia była bardziej oswojona z przygodami, mogłoby się w niej zrodzić jakieś podejrzenie, ale nawet jej to nie przyszło do głowy. Na samą myśl o nocnej wyprawie zapomniała, że jest śpiąca. Przebrała się w sweter i spódnicę — na pasku spódnicy wisiał harcerski nóż, który mógł się przydać — i dodała do tego kilka rzeczy pozostawionych w sypialni przez dziewczynę o wierzbowych włosach. Wybrała krótką, sięgającą kolan pelerynę z kapturem („Będzie jak znalazł, gdyby zaczęło padać", pomyślała), kilka chusteczek i grzebień. Potem usiadła i czekała.

Już prawie znowu zasypiała, gdy puchacz wrócił.

— Jesteś gotowa? — zapytał.

— Lepiej będzie, jak ty poprowadzisz — zauważyła Julia. — Nie orientuję się jeszcze zbyt dobrze w tych wszystkich korytarzach.

— Tu-huuuu! — zahuczał puchacz. — Nie będziemy szli przez zamek. Nic by z tego nie wyszło. Musisz wsiąść na mnie. Polecimy.

— Och! — krzyknęła Julia i stała z otwartymi ustami, niemile zaskoczona. — Czy nie jestem dla ciebie za ciężka?

— Tu-huuu! Tu-huuu! Nie bądź głupia. Już przewiozłem na swoim grzbiecie tego drugiego. Dalej! Ale przedtem lepiej zgaś lampę.

Gdy tylko zgasiła lampę, kawałek nocy, jaki widać było w oknie, nieco pojaśniał: nie był już czarny, lecz szary. Puchacz stanął na parapecie tyłem do komnaty i podniósł skrzydła. Julia musiała się wdrapać na jego gruby, krótki tułów, umieścić kolana pod skrzydłami i mocno je ścisnąć. Pierze ptaka było cudownie miękkie i ciepłe, ale nie bardzo miała się czego trzymać. „Ciekawa jestem, jak czuł się Scrubb podczas swojej przejażdżki", pomyślała. I w tym samym momencie ptak dał strasznego nurka z parapetu. Jego skrzydła musnęły uszy Julii, a nocne powietrze, nieco chłodne i wilgotne, uderzyło ją w twarz.

Było o wiele jaśniej, niż oczekiwała, a chociaż niebo pokrywały chmury, bladosrebrzysta plama wskazywała na położenie księżyca. W dole pola miały szarawy odcień, a drzewa były czarne. Wiał wiatr, szumiący i porywisty, co wróżyło deszcz.

Puchacz zatoczył koło i zamek był teraz przed nimi. Tylko w kilku oknach paliło się światło. Przelecieli nad nim, kierując się na północ, ponad rzeką. Zrobiło się chłodniej. Julii wydawało się, że widzi białe odbicie puchacza w wodzie. Ale wkrótce znaleźli się nad północnym brzegiem rzeki. Lecieli teraz ponad lasem.

Puchacz rzucił się gwałtownie w bok, kłapiąc dziobem.

— Och nie, błagam! — zawołała Julia. — Nie rób takich sztuczek. O mało mnie nie zrzuciłeś.

— Wybacz — rzekł puchacz. — Właśnie trafił mi się nietoperz. Nie ma nic bardziej pożywnego niż mały, pulchny nietoperz. Złapać ci jednego?

— Nie, dziękuję — odpowiedziała Julia.

Lecieli teraz trochę niżej i przed nimi pojawił się wielki, czarny kształt. Julia miała akurat tyle czasu, aby zauważyć, że to jakaś wieża — częściowo zrujnowana i obrośnięta bluszczem — i musiała szybko pochylić głowę, aby nie uderzyć w kamienny łuk, gdy puchacz wleciał do środka przez obrośnięty i zasnuty pajęczyną otwór w szczycie wieży. Po szarości nocy było tu zupełnie ciemno, a powietrze pachniało stęchlizną. Gdy tylko zsunęła się z grzbietu ptaka, wyczuła (jak to się zwykle czuje nawet w ciemnościach), że wnętrze jest zatłoczone żywymi istotami. A kiedy

ze wszystkich stron rozległo się „Tu-huuu! Tu-huuu!", wiedziała, że zatłoczone jest sowami i puchaczami. Odetchnęła z ulgą, gdy usłyszała zupełnie inny głos:

— Czy to ty, Pole?

— A to ty, Scrubb? — odpowiedziała pytaniem Julia.

— A więc do dzieła — odezwał się Świecopuch.

— Myślę, że są już wszyscy. Zaczynamy posiedzenie sejmu.

— Tu-huuuu, tu-huuuu. Wierzymy mu. Tu się zgadzamy, tu szkoda słów — odezwało się kilkanaście głosów.

— Chwileczkę — rozległ się głos Eustachego. — Muszę jednak najpierw powiedzieć kilka słów.

— Mów, mów — powiedziały sowy, a Julia dodała: — Wal śmiało!

— Przypuszczam, że wy wszyscy, przyjaciele, znaczy się sowy i puchacze, a więc sądzę, że wszyscy wiecie, że król Kaspian Dziesiąty za swych młodych lat pożeglował na wschodni kraniec świata. Podróżowałem razem z nim, z nim i z Ryczypiskiem, wodzem myszy, i z kapitanem Drinianem, i z innymi, którzy byli na pokładzie. Wiem, że trudno w to uwierzyć, ale w naszym świecie ludzie nie starzeją się tak szybko jak tu, w Narnii. A to, co chcę wam powiedzieć, brzmi następująco: jestem człowiekiem króla i jeśli ten sowi sejm jest jakimś spiskiem przeciw królowi, nie chcę mieć z tym nic wspólnego.

— Tu-huuuu, tu-huuuu, przecież jesteś wśród królewskich puchaczy i sów! — oburzyły się głosy.

— O co więc właściwie chodzi? — zapytał Eustachy.

— Chodzi tylko o to — rzekł Świecopuch — że gdyby Lord Regent, karzeł Zuchon, usłyszał, że zamierzacie szukać zaginionego królewicza, nie pozwoliłby wam na to. Prędzej by was kazał trzymać pod kluczem.

— Na wielkiego smoka! — zawołał Scrubb. —

Czy chcecie mi wmówić, że Zuchon jest zdrajcą? Wiele o nim słyszałem w tamtych dniach, na morzu. Kaspian, to jest król, miał do niego pełne zaufanie.

— Och, nie, nie! — rozległy się głosy. — Zuchon nie jest zdrajcą. Ale już ponad trzydziestu śmiałków, rycerzy, centaurów, dobrych olbrzymów i innych wyruszyło na poszukiwanie królewicza i żaden z nich dotąd nie wrócił. I w końcu król oznajmił, że nie chce, aby wszyscy najdzielniejsi Narnijczycy zginęli z powodu jego syna. I teraz nikomu nie wolno wyruszać na jego poszukiwanie.

— Ale jestem pewien, że NAM pozwoli — powiedział Eustachy — kiedy pozna, kim jestem i kto mnie przysłał.

— Kto przysłał nas oboje — wtrąciła Julia.

— Tak — odezwał się Świecopuch. — Myślę, że to bardzo prawdopodobne. Ale król jest daleko. A Zuchon będzie się trzymał zasad. On jest nieugięty jak stal, ale głuchy jak pień, a do tego bardzo porywczy. Możecie go nie przekonać, że tym razem powinien odstąpić od prawa.

— Może wam się wydawać, że powinien posłuchać NAS, bo jesteśmy sowami, a każdy wie, jak mądre są sowy — odezwał się inny głos. — Ale Zuchon jest bardzo stary i powie tylko: „Dla mnie jesteście tylko pisklakami. Pamiętam was, jak byliście w jajkach. Nie próbujcie mnie uczyć, mości panowie. Na raki i robaki!"

Sowa nieźle naśladowała głos Zuchona i w ciemności rozległy się zewsząd sowie śmiechy. Dzieci zaczęły rozumieć, że Narnijczycy traktują Zuchona jak uczniowie jakiegoś gderliwego nauczyciela, którego wszyscy trochę się boją, ale z którego za plecami się śmieją, choć w zasadzie nie ma takiego, kto by go naprawdę nie lubił.

— Jak długo nie będzie króla? — zapytał Eustachy.

— Gdybyśmy tylko wiedzieli! — westchnął Świecopuch. — Trzeba wam wiedzieć, że rozeszły się ostatnio pogłoski, jakoby na Wyspach widziano samego Aslana, zdaje się, że to było w Terebincie. I król oznajmił, że musi jeszcze raz spróbować zobaczyć Aslana twarzą w twarz, i zapytał swoich doradców, kto ma być po nim królem. Ale wszyscy się obawiamy, że jeśli nie spotka Aslana w Terebincie, popłynie dalej na wschód, do Siedmiu Wysp i do Samotnych Wysp, i jeszcze dalej i dalej. Nigdy o tym nie mówił, ale wszyscy wiemy, że nie może zapomnieć swojej podróży na koniec świata. Jestem pewien, że w najgłębszym zakątku swego serca pragnie tam pożeglować raz jeszcze.

— A więc czekanie na jego powrót nic nie da — stwierdziła Julia.

— Nic nie da, nic nie da — zgodził się puchacz. — Och, tu-huuu, co można zrobić tuuu! Byłoby inaczej, gdybyście to wcześniej wiedzieli i od razu do króla podeszli. Wszystko by odpowiednio zorganizował. Na pewno dałby wam armię, abyście na jej czele wyruszyli na poszukiwanie zaginionego królewicza.

Julia słuchała tego w milczeniu i miała nadzieję, że Scrubb będzie na tyle wspaniałomyślny, że nie wyjaśni sowom, dlaczego tak się nie stało. I rzeczywiście był, a w każdym razie prawie był. Mruknął bowiem pod nosem: „No cóż, nie MOJA to wina" i dopiero potem podniósł głos:

— A więc dobrze. Będziemy musieli poradzić sobie bez króla. Jest jeszcze jedna sprawa, którą chciałbym wyjaśnić. Jeżeli ten sowi sejm, jak to nazywacie, jest całkowicie legalny, uczciwy i nie kryje żadnych złych zamiarów, to dlaczego musi się odbywać w takiej tajemnicy? Dlaczego spotykacie się w jakichś ruinach, w środku nocy?

— Tu-huuu! Tu-huuu! — zahuczało kilkanaście głosów. — A gdzie, według ciebie, mielibyśmy się spotkać? I kiedy można się spotkać, jeżeli nie w nocy?

— Wszystkim wiadomo — rozległ się znowu głos Świecopucha — że większość mieszkańców Narnii rzeczywiście ma takie nienaturalne zwyczaje. Robią to, co mają do zrobienia, w dzień, w pełnym, oślepiającym słońcu (uch!), kiedy powinno się spać. I skutek jest taki, że w nocy są tak nieprzytomni i ślepi, że nie można z nich wydusić nawet jednego słówka. Dlatego my, sowy i puchacze, jeśli chcemy coś omówić, mamy w zwyczaju spotykać się o rozsądnej porze, o naszej własnej porze.

— Rozumiem — rzekł Scrubb. — No cóż, myślę, że nie będziemy dyskutowali na ten temat. Opowiedzcie nam wszystko, co wiecie o zaginionym królewiczu.

I jakiś stary puchacz, już nie Świecopuch, opowiedział całą historię.

Jakieś dziesięć lat temu, kiedy Rilian, syn Kaspiana, był jeszcze bardzo młodym rycerzem, pewnego majowego ranka wybrał się wraz z królową, swoją matką, na konną przejażdżkę po północnej marchii. Towarzyszyło im wielu giermków i dworek, a wszyscy mieli na głowach wieńce ze świeżych liści i rogi myśliwskie u boku, choć nie zabrali psów, ponieważ nie miało to być polowanie, lecz majówka. Około południa dojechali do jakiegoś miłego zakątka, gdzie wśród miękkiej trawy tryskało z ziemi źródełko. Rozsiodłali konie, jedli i pili, i bardzo się weselili. Po jakimś czasie

królowej zachciało się spać, rozłożyli więc dla niej płaszcze na murawie, a królewicz Rilian z resztą dworzan odeszli nieco dalej, aby ich głosy i śmiechy nie przeszkadzały królowej w drzemce. I zdarzyło się, że z lasu wynurzył się ogromny wąż i ukąsił ją w rękę. Wszyscy usłyszeli jej krzyk i pobiegli zobaczyć, co się stało, a Rilian był pierwszy u jej boku. Zobaczył gada pełznącego w trawie i pobiegł za nim z obnażonym mieczem. Wąż był olbrzymi, lśniący i zielony jak trucizna, a ślizgał się po trawie tak szybko, że wkrótce zniknął mu z oczu w gęstych zaroślach. Królewicz wrócił więc do matki, lecz wystarczyło mu jedno spojrzenie, by zrozumieć, że wszystkie wysiłki dworek i paziów są daremne: naprawdę, nie pomógłby jej już żaden lek. Umierająca królowa próbowała mu coś powiedzieć, ale siły już ją opuściły i Rilian nie mógł zrozumieć ani słowa. Nie minęło nawet dziesięć minut od chwili, gdy usłyszeli jej krzyk, i zmarła, nie przekazawszy synowi tego, co tak bardzo chciała mu powiedzieć.

Zanieśli ciało królowej do Ker-Paravelu, gdzie opłakiwał ją gorzko Rilian, król i cała Narnia. Była naprawdę wielką panią, pełną wdzięku i szczęścia. Król Kaspian przywiózł ją ze swojej wyprawy na wschodni kraniec świata, a ludzie twierdzili, że w jej żyłach płynie krew gwiazd. Królewicz ciężko przeżył śmierć matki. Odtąd często wyjeżdżał konno w północne marchie, polując na owego olbrzymiego jadowitego gada, pragnąc go uśmiercić i pomścić śmierć królowej. Nikt nie poświęcał temu zbytniej uwagi, chociaż królewicz wracał z tych wypraw zmęczony i jakby oszołomiony, aż minął miesiąc i niektórzy zauważyli, że zaszła w nim dziwna zmiana. Miał oczy człowieka nawiedzanego przez jakieś wizje, a chociaż całymi dniami przebywał poza zamkiem, jego koń nie wyglądał na zmęczonego. Najbliższym przyjacielem królewicza stał się baron Drinian, który był kapitanem króla Kaspiana podczas jego wielkiej podróży na wschód.

Pewnego wieczoru Drinian rzekł do królewicza:

— Wasza wysokość powinien już porzucić myśl o schwytaniu tego gada. Trudno mówić o prawdziwej zemście, gdy chodzi o nierozumne zwierzę. Wyczerpujesz swoje siły na próżno.

Królewicz odpowiedział mu w dość zagadkowy sposób.

— Drogi baronie — powiedział — już od siedmiu dni prawie zapomniałem o wężu. — A kiedy Drinian zapytał go, czemu wobec tego błąka się wciąż po lasach północy, królewicz odrzekł: — Wiedz, baronie, że ujrzałem tam coś tak cudownego, że trudno to porównać z czymkolwiek, co w życiu widziałem. — Miły książę — powiedział na to Drinian — wyświadcz mi tę łaskę i pozwól mi towarzyszyć ci jutro, abym i ja ujrzał ten cud. — Niech tak się stanie — odrzekł Rilian.

Tak więc następnego dnia o stosownej porze osiodłali konie, pomknęli chyżo ku północnym lasom i dojechali do tego samego źródła, przy którym królową spotkała śmierć. Drinian uznał za dziwne, że królewicz akurat to miejsce wybrał na postój, ale nic nie powiedział. Odpoczywali tam aż do południa i wówczas Drinian zobaczył nagle najpiękniejszą panią, jaką kiedykolwiek oglądały jego oczy. Stała po północnej stronie źródła i ręką czyniła takie znaki, jakby chciała przywołać królewicza do siebie. Była wysoka i smukła, jaśniejąca nieziemskim blaskiem, ubrana w zwiewną suknię, zieloną jak trucizna. A królewicz patrzył na nią jak człowiek, którego opuścił rozsądek. Lecz nagle piękna pani zniknęła, a Drinian nie zdołał nawet zauważyć, w którą stronę odeszła. Powrócili do Ker-Paravelu, nie mówiąc do siebie ani słowa, a Drinian nie mógł oprzeć się wrażeniu, że w tej jaśniejącej, zielonej piękności czai się zło.

Drinian zastanawiał się, czy nie powinien powiedzieć królowi o tej przygodzie, ale uznał, że jest związany tajemnicą, i w końcu nie powiedział nic. Nie minęło wiele czasu, gdy bardzo tego pożałował. Następnego dnia królewicz Rilian osiodłał konia i sam pojechał na północ. Tego wieczora nie powrócił do zamku i odtąd zaginął po nim wszelki ślad. Nie znaleziono ani jego, ani jego konia, ani nawet jego płaszcza — ani w Narnii, ani w krajach sąsiednich. Przepełniony żalem Drinian stanął przed królem i rzekł:

— Panie mój i królu, zabij mnie natychmiast jak najpodlejszego zdrajcę, bo oto przez swoje milczenie zgubiłem twego syna. — I opowiedział mu o wszystkim. Wtedy król Kaspian pochwycił topór bojowy i rzucił się na niego, by go zabić, a baron stał nieruchomo jak posąg, czekając na śmiertelny cios. Lecz gdy topór wisiał już nad jego głową, król odrzucił nagle broń i zawołał: — Straciłem już moją królową i mojego syna, czy mam stracić i przyjaciela? — I oparł się ciężko na ramieniu barona, i ucałował go, i obaj zaszlochali gorzko, a ich przyjaźń okazała się większa niż gniew i żal.

Taka była opowieść o królewiczu Rilianie. A kiedy się skończyła, Julia powiedziała:

— Założę się, że ten wąż i ta kobieta to jedna osoba.

— Tak, tak, myślimy tak samo jak ty — zahuczały sowy.

— Nie sądzimy jednak, by zabiła królewicza — rzekł Świecopuch — bo żadne kości...

— Wiemy, że go nie zabiła — przerwał mu Eustachy. — Aslan powiedział Julii, że królewicz wciąż gdzieś żyje.

— Trudno powiedzieć, czy to nie jest jeszcze gorsze — odezwała się najstarsza z sów. — Bo to oznacza, że ona go w jakiś sposób wykorzystuje i że to wszystko jest częścią spisku przeciw całej Narnii. Dawno, dawno temu, na samym początku, z północy przyszła tu Biała Czarownica, która na sto lat zakuła cały nasz kraj w okowy śniegu i lodu. I podejrzewamy, że to może być ktoś z tej samej bandy.

— No cóż — odezwał się Eustachy — tak czy inaczej Julia i ja mamy odnaleźć królewicza. Czy możecie nam pomóc?

— Czy znacie jakiś trop, wy dwoje? — zapytał Świecopuch.

— Tak — odpowiedział Scrubb. — Wiemy, że musimy udać się na północ. I wiemy, że musimy tam odnaleźć ruiny miasta olbrzymów.

Teraz rozległo się jeszcze głośniejsze niż przedtem tu-hukanie, szuranie pazurami po posadzce i łopotanie skrzydeł, a potem wszystkie sowy i puchacze zaczęły mówić jednocześnie, wyjaśniając dzieciom, jak bardzo im przykro, że nie mogą wraz z nimi wyruszyć na poszukiwanie zaginionego królewicza.

— Będziecie chcieli wędrować dniem, a my wolimy wędrować nocą. Nic z tego nie wyjdzie, nic z tego nie wyjdzie. Tu-huuu!

Dwie czy trzy sowy dodały, że nawet teraz, w ruinach tej wieży, nie jest już tak ciemno jak na początku i że sejm trwa już dość długo. Prawdę mówiąc, wszystko wskazywało na to, że już sama wzmianka o podróży do ruin miasta olbrzymów całkowicie ostudziła ich zapał. Ale Świecopuch oświadczył:

— Jeśli chcą wyruszyć w tę drogę, do Ettinsmoor,

musimy ich zaprowadzić do jednego z błotowijów. Tylko one potrafią im pomóc.

— Tak, tak, tylko one mogą pomóc tu, tu-huuu — zgodziły się sowy.

— A więc ruszajmy — rzekł Świecopuch. — Ja wezmę dziewczynkę. Kto weźmie chłopca? Trzeba to zrobić tej nocy.

— Ja go zabiorę, ale tylko do błotowijów — odezwał się inny puchacz.

— Jesteście gotowi? — zwrócił się Świecopuch do Julii.

— Wydaje mi się, że Julia Pole śpi — rzekł Eustachy.

ROZDZIAŁ 5

BŁOTOSMĘTEK

JULIA SPAŁA. Już od samego początku sowiego sejmu okropnie ziewała, a teraz po prostu zapadła w zdrowy sen. I trudno powiedzieć, by była bardzo zadowolona, gdy ją obudzono i gdy stwierdziła, że leży na gołej posadzce w jakiejś zatęchłej dzwonnicy, kompletnie ciemnej i pełnej sów. Była jeszcze mniej zadowolona, gdy usłyszała, że muszą udać się gdzie indziej — a wszystko wskazywało, że nie do łóżka — i to na grzbietach ptaków.

— Dalej, Pole, weź się w garść — usłyszała głos Eustachego. — Ostatecznie to JEST przygoda.

— Niedobrze mi się robi od tych przygód — burknęła Julia.

Zgodziła się jednak wsiąść na grzbiet Świecopucha i za chwilę rozbudził ją całkowicie (przynajmniej na chwilę) nieoczekiwany chłód powietrza, gdy ptak wyleciał w noc. Księżyc zniknął i nie widać było gwiazd. W oddali migotało jakieś światełko i Julia doszła do wniosku, że musi to być oświetlone okno w jednej z wież Ker-Paravelu. Zatęskniła za cudowną łaźnią i ciepłym łóżkiem w zacisznej sypialni, z tańczącym na ścianie odblaskiem ognia płonącego na kominku.

Gdzieś niedaleko słyszała dwa głosy; sprawiało to wrażenie tak niesamowite, że aż trudno było w to uwierzyć, wiedziała jednak, że to Eustachy i jego puchacz rozmawiają sobie w powietrzu. „Wcale nie wygląda na zmęczonego", pomyślała z zazdrością. Nie zdawała sobie sprawy, że po prostu Eustachy był już kiedyś w tym świecie i że narnijskie powietrze przywróciło mu siły, jakich nabrał podczas żeglugi po Wschodnich Morzach z królem Kaspianem.

Musiała się szczypać, aby nie zasnąć, bo wiedziała, że sen na grzbiecie Świecopucha grozi upadkiem na ziemię. Wreszcie oba ptaki wylądowały cicho na jakiejś równinie i Julia ześliznęła się niezgrabnie na ziemię. Nogi jej zupełnie zdrętwiały. Wiał chłodny wiatr i wyglądało na to, że w pobliżu nie ma żadnych drzew.

— Tu-huuuu! Tu-huuu! — rozległo się pohukiwanie Świecopucha. — Obudź się, Błotosmętku! Obudź się! Mamy sprawę związaną z Lwem!

Przez długi czas nie było żadnej odpowiedzi. Potem gdzieś w oddali pojawiło się blade światełko, które zaczęło się ku nim zbliżać.

— Sowy, ahoj! — usłyszeli głos. — Co się stało? Czy król umarł? Czy jakiś wróg najechał Narnię? Czy to może potop? Albo smoki?

Światło okazało się dużą latarnią. W ciemności Julia nie bardzo mogła rozpoznać, kto ją niesie, w każdym razie ten ktoś wydawał się składać wyłącznie z rąk i nóg. Ptaki porozmawiały z nim przez chwilę, ale Julia była zbyt zmęczona, by tego słuchać. Nagle dotarło do niej, że się z nią żegnają, a potem znowu zapadła w półsen. Pamiętała tylko, że w pewnym momencie musiała się schylić, by przejść przez niskie drzwi, a potem (och, dzięki niebu!) leżała na czymś miękkim i ciepłym, a jakiś głos mówił:

— No więc tak tu jest. Nic lepszego nie mamy. Będzie wam zimno i twardo. I wilgotno, wcale bym się nie zdziwił. Pewnie nie zmrużycie oka, gdyby nawet nie przyszła burza z piorunami lub powódź lub

gdyby ten wigwam nie zawalił się na nas, jak się to często zdarza. Musicie się tym zadowolić... — Ale Julia spała już mocno, zanim głos skończył mówić.

Kiedy dzieci obudziły się późnym rankiem następnego dnia, zobaczyły, że leżą w jakimś ciemnym miejscu na suchych i ciepłych posłaniach wymoszczonych słomą. Przez trójkątny otwór sączyło się słoneczne światło.

— Gdzie, u licha, jesteśmy? — zapytała Julia.

— W wigwamie jakiegoś błotowija — odpowiedział Eustachy.

— Kogo?

— Błotowija. Nie pytaj mnie, co to jest. W nocy nic nie mogłem zobaczyć. No, trzeba wstawać. Chodźmy i poszukajmy go.

— Okropnie się czuję po spaniu w ubraniu — stwierdziła Julia, siadając na słomie.

— Właśnie sobie pomyślałem, jak to miło, że nie trzeba się ubierać — rzekł Eustachy.

— I myć, jak sądzę — zauważyła pogardliwie Julia. Ale Eustachy już wstał, ziewnął, otrząsnął się i wyczołgał z wigwamu. Julia zrobiła to samo.

To, co zobaczyli, zupełnie nie przypominało tego kawałka Narnii, jaki widzieli poprzedniego dnia. Znajdowali się na rozległej równinie, pociętej przez wodne kanały na niezliczoną liczbę wysepek. Wysepki porośnięte były grubą, ostrą trawą i obrzeżone trzcinami i sitowiem. Tu i tam jaśniały większe kępy sitowia, znad których wzlatywały raz po raz chmury ptaków: kaczek, słonek, bąków i czapli. Wszędzie było wiele wigwamów podobnych do tego, w jakim spędzili noc, każdy jednak w dość dużej odległości od innych, bo błotowije cenią sobie życie w domowym zaciszu. Nie było tu żadnych drzew, dopiero daleko, wiele mil na południe i na zachód, czerniała linia puszczy. Na wschód, aż do piaszczystych wzgórz na horyzoncie, rozpościerały się płaskie moczary, a słony zapach przynoszony przez wiatr pozwalał sądzić, że za wzgórzami jest morze. Na północy widniały niskie, blade wzgórza gdzieniegdzie obramowane bastionami skał. W deszczowy wieczór byłoby to zapewne przygnębiające miejsce. Teraz jednak, w porannym słońcu, z rześkim wiatrem i krzykiem ptaków rozbrzmiewającym ze wszystkich stron, to wodne pustkowie miało w sobie coś pięknego i świeżego. Dzieci poczuły się nieco raźniej.

— Ciekawa jestem, gdzie ten jak-mu-tam polazł? — odezwała się Julia.

— Błotowij — odpowiedział Eustachy głosem człowieka dumnego z tego, że zna właściwe słowo. — Myślę, że... hej, to musi być on! — I wtedy oboje go dostrzegli. Siedział odwrócony do nich plecami i łowił ryby jakieś trzydzieści metrów dalej. Trudno było go z początku zauważyć, ponieważ był prawie tego samego koloru co bagno i nie poruszał się.

— Chyba powinniśmy do niego podejść i porozmawiać — powiedziała Julia, a Eustachy kiwnął głową. Oboje czuli się trochę nieswojo.

Kiedy podeszli bliżej, siedząca nad wodą postać odwróciła głowę. Zobaczyli długą, chudą twarz z nieco zapadniętymi policzkami, wąskimi, zaciśniętymi ustami, ostrym nosem i długim, nie zarośniętym podbródkiem. Głowę przykrywał strzelisty jak dach wieży kapelusz z bardzo szerokim, płaskim rondem. Wystające spod kapelusza włosy — jeśli można to nazwać włosami — były zielonoszare i proste jak trzciny. Jej skóra była brudnoziemista, twarz pełna powagi i od razu się wiedziało, że jest to istota, która życie traktuje poważnie.

— Dzień dobry, moi goście — powiedział błotowij. — Chociaż, jeśli mówię DOBRY, nie oznacza to wcale, że nie będzie deszczu, śniegu, mgły lub burzy z piorunami, co jest zresztą bardzo prawdopodobne. Ośmielę się mniemać, że nie zmrużyliście oka przez całą noc.

— Ależ skąd, spaliśmy — powiedziała Julia. — To była cudowna noc.

— Ach, ach — rzekł błotowij, kręcąc głową. — Widzę, że masz zwyczaj śmiać się wtedy, gdy trzeba płakać. Bardzo słusznie. Dobrze cię wychowano, bardzo dobrze. Nauczono cię trzymać fason.

— Przepraszam, ale nie wiemy, jak się nazywasz — odezwał się Eustachy.

— Nazywam się Błotosmętek. Ale nie przejmujcie się, jeśli o tym zapomnicie. Zawsze mogę wam powtórzyć.

Dzieci usiadły przy nim nad wodą. Teraz zobaczyły, że ma bardzo długie nogi i ręce, tak że stojąc, byłby na pewno wyższy od większości ludzi. Palce jego rąk i nóg połączone były błonami. Ubrany był w jakiś dziwny luźny strój ziemistego koloru, który wisiał na nim jak na wieszaku.

— Próbuję złapać kilka węgorzy, aby zrobić gulasz na obiad — rzekł Błotosmętek — chociaż wcale bym się nie zdziwił, gdybym żadnego nie złapał. A jeśli nawet coś złapię, to i tak nie będzie wam zbytnio smakować.

— Dlaczego? — zapytał Eustachy.

— Cóż, nie byłoby rozsądnie mniemać, że lubicie nasz rodzaj pożywienia, choć z pewnością będziecie robić dobrą minę do złej gry. W każdym razie, gdybyście tak spróbowali rozpalić ogień, gdy będę łowił... nic nie szkodzi spróbować! Drewno jest za wigwamem. Pewno będzie wilgotne. Możecie je zapalić wewnątrz wigwamu i wówczas dym będzie was gryzł w oczy. Możecie też zapalić je na dworze, wówczas z pewnością nadejdzie deszcz i zagasi je. Oto hubka i krzesiwo. Obawiam się, że nie wiecie, jak się tego używa.

Ale Scrubb nauczył się takich rzeczy podczas swojej poprzedniej bytności w Narnii. Dzieci pobiegły do wigwamu, znalazły drewno (które było zupełnie suche) i zapaliły ognisko z mniejszymi niż zwykle trudnościami. Potem Eustachy usiadł, aby doglądać ognia, a Julia poszła się umyć — nie był to zbyt przyjemny rodzaj mycia — w najbliższym kanale. Potem zmieniła Eustachego przy ognisku, by i on mógł się umyć. Oboje poczuli się teraz odświeżeni, ale i bardzo głodni.

Po jakimś czasie wrócił znad brzegu Błotosmętek. Wbrew swym przepowiedniom złowił co najmniej tuzin węgorzy, które już obdarł ze skóry i oczyścił. Włożył je do dużego kociołka, postawił go na ogniu i zapalił fajkę. Błotowije palą bardzo dziwny, ciężki gatunek tytoniu (niektórzy twierdzą, że mieszają go ze szlamem) i dzieci zauważyły, że dym z fajki Błotosmętka

prawie w ogóle nie unosił się do góry, lecz spełzał ciężko po brzuścu ku ziemi jak gęsta mgła. Eustachy krztusił się, gdy czarny dym podpełzał od czasu do czasu w jego stronę.

— No cóż — powiedział Błotosmętek, pociągając z cybucha — te węgorze będą się gotowały aż do śmierci i każde z nas może zasłabnąć z głodu, zanim się ugotują. Znałem jedną małą dziewczynkę... ale chyba lepiej nie będę wam opowiadał tej historii.

Mógłbym wam zepsuć humor, a to jest rzecz, jakiej nigdy nie robię. A więc, aby zapomnieć o głodzie, moglibyśmy równie dobrze porozmawiać o waszych planach.

— Tak, pomówmy o tym — powiedziała Julia. — Czy możesz nam pomóc w odnalezieniu królewicza Riliana?

Błotosmętek zaciągnął się fajką tak, że zamiast policzków miał teraz dwie podłużne, głębokie dziury.

— No cóż, nie wiem, czy można to nazwać POMOCĄ — odrzekł w końcu. — Nie wiem, czy ktokolwiek może wam w ogóle POMÓC. Rozsądek nakazywałby nie wyruszać w tak daleką drogę na północ teraz, o tej porze roku, z zimą za pasem i wszystkim innym na karku. A zima będzie wczesna, wszystko na to wskazuje. Ale nie powinniście upadać na duchu. Bardzo prawdopodobne, że w kraju pełnym wrogów, wspinając się na strome góry, przeprawiając przez rwące rzeki, gubiąc często drogę, nie mając nic do jedzenia, a za to pęcherze na nogach, w ogóle nie zwrócimy uwagi na pogodę. Ale jeśli nawet nie uda się nam zawędrować tak daleko, aby to coś dało, może to nie będzie aż tak daleko, żeby wracać w zbytnim pośpiechu.

Oboje zauważyli, że powiedział „nam", a nie „wam", i oboje jednocześnie wykrzyknęli:

— Więc pójdziesz z nami?

— O tak, oczywiście, pójdę z wami. Tak się składa, że mogę iść. Nie sądzę, byśmy kiedykolwiek jeszcze zobaczyli króla w Narnii, jako że pożeglował nie bardzo wiadomo dokąd, a kiedy wyruszał w morze, miał nieprzyjemny kaszel, bardzo nieprzyjemny. Zuchon, cóż... szybko robi się niedołężny. I zobaczycie, że będą bardzo złe zbiory po tym okropnym, suchym lecie. I nie będę się dziwił, jeśli nas zaatakuje jakiś wróg. Zapamiętajcie moje słowa.

— A od czego zaczniemy? — zapytał Eustachy.

— No cóż — rzekł Błotosmętek po dłuższej chwili milczenia — wszyscy, którzy wyruszali na poszukiwanie królewicza Riliana, zaczynali od źródła, przy którym baron Drinian widział ową panią. Przeważnie szli stamtąd na północ. A ponieważ żaden z nich nigdy nie wrócił, trudno dokładnie ocenić, co w ten sposób osiągnęli.

— Musimy zacząć od znalezienia ruin miasta olbrzymów — przerwała mu Julia. — Tak powiedział Aslan.

— Zacząć od ZNALEZIENIA ich, czy dobrze słyszę? — zapytał Błotosmętek. — A czy nie lepiej byłoby zacząć od POSZUKANIA tych ruin?

— To właśnie, rzecz jasna, miałam na myśli — powiedziała szybko Julia. — A kiedy już je znajdziemy...

— No właśnie, kiedy? — wtrącił Błotosmętek.

— Czy nikt nie wie, gdzie to jest? — spytał Eustachy.

— Nic nie wiem o NIKIM — rzekł Błotosmętek. — I muszę przyznać, że nigdy nawet nie słyszałem o ruinach tego miasta. Ale nie sądzę, by można było zaczynać od źródła. Trzeba iść przez Ettinsmoor. Jeżeli gdziekolwiek jest to zrujnowane miasto, to musi być właśnie tam. Nie chcę was jednak oszukiwać. Nigdy nie zawędrowałem w tamtą stronę dalej niż większość innych mieszkańców Narnii i nigdy nie widziałem tam żadnych ruin.

— Gdzie leży Ettinsmoor? — dopytywał się Eustachy.

— Spójrzcie tam, na północ — powiedział Błotosmętek, pokazując fajką. — Widzicie te wzgórza i krawędzie skał? Tam zaczyna się Ettinsmoor. Ale między krainą Ettinsmoor a nami jest rzeka, zwana Suchą Wodą. Oczywiście nie ma na niej żadnych mostów.

— Ale chyba można jakoś ją przebyć?

— Już tego próbowano — odpowiedział Błotosmętek.

— Może w Ettinsmoor spotkamy kogoś, kto wskaże nam drogę — wtrąciła Julia.

— Że kogoś spotkamy, to pewne — rzekł nieco tajemniczo Błotosmętek.

— Jakiego rodzaju istoty tam żyją?

— Nie przeczę bynajmniej, że są to istoty przyzwoite, na swój sposób, oczywiście — odpowiedział Błotosmętek. — Jeśli się tylko lubi ten ich sposób.

— Rozumiem, ale jacy ONI są? — dopytywała się Julia. — W tym kraju jest tyle dziwnych stworzeń. Czy to są zwierzęta, ptaki, karły, czy coś innego?

Błotosmętek gwizdnął przeciągle.

— Czyżbyście naprawdę nie wiedzieli? Myślałem, że sowy wam powiedziały. To są olbrzymy.

Dreszcz przebiegł Julii po plecach. Nawet w książkach nigdy nie darzyła olbrzymów sympatią, a raz spotkała jednego we śnie. Zauważyła jednak, że Eustachy zrobił się lekko zielony na twarzy, i pomyślała:

„Założę się, że on ma jeszcze większego stracha". To sprawiło, że poczuła się trochę lepiej.

— Król powiedział mi niegdyś, kiedy byłem z nim na morzu, że po wielkiej wojnie nauczył te olbrzymy rozsądku i zmusił je do płacenia daniny — powiedział Eustachy.

— To by się zgadzało — rzekł Błotosmętek. — Nie jesteśmy z nimi w stanie wojny. Jeśli tylko siedzimy spokojnie po naszej stronie rzeki, nie sprawiają nam żadnego kłopotu. Ale tam, po ich stronie, w Ettinsmoor, cóż... tam wszystko może się zdarzyć. Zawsze jednak jest jakaś szansa. Jeśli nie będziemy się do nich za bardzo zbliżać, jeżeli żaden z nich się nie zapomni i jeżeli nie zostaniemy zauważeni, to bardzo możliwe, że zajdziemy dość daleko.

— Słuchaj no! — podniósł głos Eustachy, tracąc nagle cierpliwość, jak to się często zdarza ludziom, którzy czegoś się wystraszyli. — Nie wierzę, aby to wszystko wyglądało nawet w połowie tak źle, jak nam przedstawiasz. Myślę, że nie będzie źle w takiej samej mierze, w jakiej nie były twarde nasze posłania w wigwamie i w jakiej nie było mokre drewno na ognisko. Nie sądzę, aby Aslan wysłał nas na poszukiwanie królewicza, gdybyśmy mieli tak mało szans na jego odnalezienie.

Był pewien, że błotowij się pogniewa, ale ten tylko powiedział:

— Oto prawdziwy duch w człowieku. Eustachy, tak właśnie należy mówić. Trzeba patrzeć na wszystko z uśmiechem. Ale mając przed sobą tyle ciężkich dni, powinniśmy bardzo uważać na nasze nerwy. Nie powinniśmy się kłócić. A w każdym razie nie warto tego robić za wcześnie. Wiem dobrze, że te wszystkie wyprawy zwykle KOŃCZĄ się właśnie w ten sposób: jedni drugich WYKAŃCZAJĄ, zanim osiągną cel. Im dłużej zdołamy się tego ustrzec...

— Cóż, jeśli uważasz to za tak beznadziejne — przerwał mu Eustachy — lepiej będzie, jak tu zostaniesz. Pole i ja możemy pójść sami. Prawda, Pole?

— Zamknij się i nie bądź osłem, Eustachy Scrubbie — powiedziała ze złością Julia, bojąc się, że błotowij weźmie to na serio.

— Nie trać serca, Pole — rzekł Błotosmętek. — To, że z wami idę, jest pewne jak słońce. Nie zamierzam tracić takiej okazji. To mi dobrze zrobi. Wszyscy mówią, mam na myśli wszystkich innych wijów, że jestem zbyt płochy, że nie traktuję życia zbyt poważnie. Jak się coś takiego raz powie, to potem się powtarza tysiąc razy. „Błotosmętku — mówią — wciąż tylko podskakujesz, przechwalasz się i masz zwariowane pomysły. Musisz się wreszcie nauczyć, że życie nie składa się z samych żabich udek w potrawce i pasztetu z wątróbki węgorza. Jeśli chcesz coś osiągnąć, musisz się trochę ustatkować. Mówimy to tylko dla twojego dobra, Błotosmętku." Tak właśnie mówią. No, a taka sprawa jak podróż na północ tuż przed początkiem zimy, w poszukiwaniu królewicza, którego prawdopodobnie tam nie ma, przez ruiny miasta, których nikt nie widział, to jest chyba właściwy sposób. Jeśli to nie ustatkuje kogoś takiego jak ja, to nie wiem, co mogłoby go ustatkować. — Tu zatarł swoje wielkie żabie łapy, jakby rozmowa dotyczyła pójścia na przyjęcie lub na pantomimę. — A teraz — dodał — zobaczymy, co się dzieje z tymi węgorzami.

Jedzenie było wspaniałe i każde z dzieci wzięło po dwie solidne dokładki. Z początku błotowij nie mógł uwierzyć, że naprawdę im to smakuje, a kiedy zjadły już tak dużo, że musiał w to uwierzyć, zaczął ich ostrzegać przed strasznymi skutkami.

— To, co jest dobre dla wijów, może być trucizną dla ludzi, i wcale bym się nie dziwił.

Po jedzeniu napili się herbaty z cynowych kubków, a Błotosmętek pociągnął dobre kilka razy z płaskiej, czarnej butelki. Poczęstował i dzieci, ale uznały to za straszne paskudztwo.

Reszta dnia upłynęła im na przygotowaniach do podróży. Błotosmętek orzekł, że jako najwyższy będzie niósł trzy koce, a w nich ciasno zwinięty połeć bekonu. Julia miała nieść resztę potrawy z węgorza, trochę biszkoptów, hubkę i krzesiwo. Eustachy miał nieść płaszcze, gdy nie będą ich potrzebowali, otrzymał też drugi, nieco gorszy, łuk Błotosmętka. Ten zaś wziął swój najlepszy łuk, chociaż mruknął przy tym, że zważywszy na wiatry, mokre cięciwy, złe oświetlenie i zmarznięte palce szansa trafienia w cokolwiek równa się jednej do stu. I on, i Scrubb mieli miecze, bo chłopiec przezornie zabrał ze sobą ten, który mu pozostawiono wraz z narnijskimi szatami w jego sypialni na zamku. Julia musiała się zadowolić swoim harcerskim nożem. Z tego powodu zanosiło się na małą kłótnię, ale gdy tylko zaczęli sobie dogadywać, błotowij zatarł ręce i powiedział:

— Ach, tu was mam! Tak to sobie właśnie wyobrażałem. Tak właśnie dzieje się na wszystkich wyprawach po przygody.

To ich od razu uspokoiło.

Wszyscy troje poszli tego wieczora wcześnie spać. Tym razem dzieci miały naprawdę przykrą noc, a to z powodu Błotosmętka, który oznajmił: „Spróbujcie lepiej trochę pospać, choć prawdę mówiąc, nie sądzę, by ktokolwiek z nas zmrużył oko tej nocy" i natychmiast zaczął chrapać tak potwornie i bez najmniejszej przerwy, że kiedy w końcu Julia zasnęła, śniły się jej przez całą noc młoty pneumatyczne, wodospady i pociągi pospieszne w długich tunelach.

Rozdział 6

DZIKIE PUSTKOWIA PÓŁNOCY

Rankiem następnego dnia, około dziewiątej, można było zobaczyć trzy samotne postacie, przeprawiające się przez Suchą Wodę po płyciznach i wystających z wody kamieniach. Był to płytki, hałaśliwy strumień i nawet Julia przemoczyła się tylko do kolan. Przed nimi leżało strome, poprzecinane urwiskami zbocze, sięgające do granic rozległego płaskowyżu.

— Myślę, że TO jest nasza droga — powiedział Eustachy, wskazując na zachód, gdzie dnem dość płytkiego wąwozu spływał z góry bystry potok. Ale błotowij potrząsnął głową.

— Olbrzymy mieszkają głównie nad brzegami tego wąwozu. Można powiedzieć, że wąwóz jest dla nich czymś w rodzaju ulicy. Lepiej pójdźmy prosto przed siebie, choć będzie trochę bardziej stromo.

Znaleźli miejsce, w którym najłatwiej było wspiąć się po zboczu, i po jakichś dziesięciu minutach stanęli zdyszani na szczycie. Rzucili tęskne spojrzenie za siebie, na zielone doliny Narnii, a potem odwrócili głowy ku północy. Gdziekolwiek spojrzeli, rozciągało się dzikie, rozległe wrzosowisko. Po lewej stronie widniały jakieś skały. Julia pomyślała, że to zapewne brzeg wąwozu olbrzymów, i nie bardzo miała ochotę na patrzenie w tym kierunku. Ruszyli w drogę.

Torfiasty grunt uginał się przyjemnie pod nogami, a z góry świeciło blade zimowe słońce. W miarę jak zagłębiali się we wrzosowisko, uczucie samotności i pustki rosło; tylko od czasu do czasu słyszeli krzyk czajki lub widzieli samotnego jastrzębia. Kiedy się zatrzymali w niewielkiej kotlince, aby odpocząć i napić się wody, Julia pomyślała, że mimo wszystko chyba polubi przygody, i wypowiedziała to na głos.

— Jeszcze żadnej nie mieliśmy — zauważył błotowij.

Marsz po pierwszym odpoczynku — tak jak poranki w szkole po pierwszej przerwie lub podróż pociągiem po przesiadce — nigdy nie jest już taki jak przedtem. Kiedy znowu ruszyli w drogę, Julia spostrzegła, że skalista krawędź wąwozu bardzo się do nich przybliżyła, a same skały były teraz o wiele bardziej strome i o wiele wyższe niż na początku. Prawdę mówiąc, przypominały skalne wieżyczki o bardzo dziwacznych kształtach.

„Naprawdę, jestem pewna, że te wszystkie opowieści o olbrzymach mogą się brać z takich śmiesznych skał — pomyślała Julia. — Gdyby się przechodziło tędy późnym wieczorem, kiedy się ściemnia, można by łatwo pomyśleć, że te skaliste słupy to olbrzymy. Na przykład ten jeden, o tam! Można sobie wyobrażać, że ta bryła skały na szczycie to głowa. Może trochę za duża w stosunku do reszty ciała, ale do jakiegoś brzydkiego olbrzyma mogłaby pasować. A te jakieś krzaczaste rzeczy... sądzę, że to wrzos i gniazda ptaków... mogłyby być włosami i brodami. A te sterczące po obu stronach płaskie głazy... zupełnie jak uszy! Okropnie wielkie, ale ośmielam się twierdzić, że olbrzymy na pewno mają uszy jak słonie. A... ooooooch!"

Krew zastygła jej w żyłach. Skalisty słup poruszył się. To rzeczywiście był olbrzym! Nie mogła się mylić, zobaczyła, jak odwraca głowę. Zdołała nawet spostrzec wielką, głupawą, pucułowatą twarz. Wszystkie te „skały" były po prostu olbrzymami! Stało ich tam ze czterdziestu lub pięćdziesięciu w jednym rzędzie. Nie ulegało wątpliwości, że stoją na dnie wąwozu i rozglądają się po wrzosowisku z łokciami opartymi na jego krawędzi, jak ludzie oparci o niski murek — jak leniwi parobcy w jakiś piękny poranek po śniadaniu.

— Idziemy dalej prosto — wyszeptał Błotosmętek, który także je dostrzegł. — Nie patrzcie w ich kierunku. I COKOLWIEK się stanie, nie uciekajcie. Złapią nas w ciągu jednej sekundy.

Tak więc szli dalej, udając, że wcale olbrzymów nie zauważyli. Przypominało to przechodzenie przez bramę domu, w którym jest zły pies, tyle że było jeszcze gorsze. Olbrzymów było mnóstwo. Nie wyglądały ani na zagniewane, ani na uprzejme; nie wydawały się w ogóle nimi interesować. Nic nie wskazywało na to, że widzą trójkę wędrowców.

I wtedy — uiiizzz — uiiizzzz — uiii! — jakieś ciężkie przedmioty zaświstały w powietrzu i ze dwadzieścia kroków od nich wylądował z łoskotem wielki głaz. A potem — łup! — inny upadł kilka metrów za nimi.

— Celują w nas? — wyjąkał Eustachy.

— Nie — odrzekł Błotosmętek. — Bylibyśmy o wiele bardziej bezpieczni, gdyby w nas celowali. Próbują trafić w TO: ten kopiec, tam, nieco w prawo. Nigdy w NIEGO nie trafią. KOPIEC jest bezpieczny, mają bardzo liche oko. Bawią się w rzucanie do celu w większość pogodnych poranków. To chyba jedyna gra, której zasady są w stanie pojąć.

Nastały straszne chwile. Długi rząd olbrzymów zdawał się nie mieć końca, a wielkie głazy nieustannie

fruwały w powietrzu; niektóre padały naprawdę bardzo blisko. A zupełnie niezależnie od tego prawdziwego zagrożenia już same ich twarze i głosy mogły śmiertelnie przerazić każdego. Julia starała się na nich nie patrzyć.

Po jakichś dwudziestu pięciu minutach wśród olbrzymów najwidoczniej wybuchła kłótnia. Przerwała ona złowrogie rzucanie do celu, ale i tak trudno było uznać za bezpieczną sytuację, w której trójka wędrowców znalazła się o milę od kłócących się między sobą olbrzymów. Wrzeszczały i drwiły jeden z drugiego długimi, bezsensownymi słowami, z których każde liczyło ze dwadzieścia sylab. Szwargotały do siebie, aż piana toczyła się im z ust, podskakiwały z wściekłości, a każdy podskok wstrząsał ziemią jak bomba. Tłukły się po głowach wielkimi, kamiennymi młotami, lecz ich czaszki były tak twarde, że młoty odskakiwały, raniąc boleśnie nie głowy ofiar, ale palce zadających ciosy, którzy ze skowytem odrzucali owe prymitywne narzędzia. Były jednak tak głupie, że za chwilę powtarzały dokładnie to samo. Dla małych wędrowców okazało się to zbawienne, bowiem nie minęła godzina, gdy wszystkie olbrzymy miały tak poranione ręce, że usiadły i zaczęły płakać z bólu. A kiedy siedziały na dnie wąwozu, ich głowy nie wystawały już ponad jego najeżoną skałami krawędź. Słychać było tylko skowyty, szlochy i buczenie, jakby w wąwozie porzucono gromadę wielkich, zdziczałych dzieciaków. Te głosy dźwięczały w uszach Julii jeszcze wówczas, gdy odeszli już ponad milę od tego miejsca.

Tej nocy obozowali na odsłoniętym wrzosowisku i Błotosmętek pokazał dzieciom, jak najlepiej wykorzystać koce, śpiąc do siebie plecami. (Śpiący grzeją się nawzajem, a jednocześnie można się przykryć dwoma kocami naraz.) Ale i tak było dość chłodno, a grunt był twardy i nierówny. Błotowij powiedział, że poczują się lepiej, kiedy pomyślą, jak zimno będzie później, na dalekiej północy, ale nie bardzo to poskutkowało.

Wędrowali przez Ettinsmoor przez wiele dni, oszczędzając bekon i żywiąc się głównie mięsem błotnych ptaków (oczywiście nie były to MÓWIĄCE ptaki), które udało się ustrzelić Eustachemu i błotowijowi. Julia trochę zazdrościła Eustachemu umiejętności strzelania z łuku, którą nabył podczas podróży z królem Kaspianem. Płaskowyż przecinały liczne strumienie, tak że nigdy nie cierpieli na brak wody. Julia myślała, jak niewiele mówią książki, w których podróżnicy żywią się tym, co upolują. Zwykle brak tam informacji, jak mozolnym, śmierdzącym i brudnym zajęciem jest skubanie i patroszenie martwych ptaków i jak marzną przy tym palce. Ale najważniejsze było to, że prawie nie spotykali olbrzymów. Raz znaleźli się w zasięgu wzroku jednego z nich, ale na ich widok tylko zaryczał ze śmiechu i poszedł swoją drogą.

Dziesiątego dnia doszli do miejsca, w którym krajobraz się zmienił. Osiągnęli już północną krawędź torfowego płaskowyżu Ettinsmoor, i za długim, stromym zboczem otworzył się przed nimi widok na zupełnie inny, bardziej złowrogi kraj. U stóp wzgórza jaśniały skalne urwiska, a za nimi rozpoczynała się kraina wysokich gór, ciemnych przepaści, kamienistych dolin, żlebów tak głębokich, że trudno było dojrzeć ich dno, potoków przelewających się przez krawędzie wąwozów, by z rykiem spaść w czarną głębię, budząc ponure echo. Nie muszę chyba dodawać, że to Błotosmętek pierwszy dostrzegł cienką warstwę śniegu na bardziej oddalonych zboczach gór.

— Ale nie zdziwiłbym się wcale, gdyby było go o wiele więcej na północnych stokach — dodał.

Zeszli po zboczu i stanęli na skraju skalnego urwiska. Teraz zobaczyli przed sobą rzekę, płynącą bystro z zachodu na wschód dnem głębokiej doliny. Zielony nurt, ocieniony skalnymi ścianami, załamywał się na licznych progach i ostrych skałach, a ryk wody wstrząsał ziemią nawet tu, gdzie stali.

— Jasną stroną tej sytuacji jest nadzieja — rzekł Błotosmętek — że jeśli połamiemy karki, próbując zejść po tym urwisku, nie będzie nam już groziło zatonięcie w rzece.

— A co powiecie o TYM? — zawołał nagle Eustachy, wskazując w lewo, w górę rzeki.

Wszyscy spojrzeli i zobaczyli ostatnią rzecz, jakiej mogli się tu spodziewać — most. I do tego co za most! Był to potężny, nie wsparty na żadnych filarach most, spinający wąwóz rzeki kamiennym łukiem. Jego szczyt wznosił się tak wysoko ponad wierzchołki urwisk po obu stronach jak Katedra Świętego Pawła w Londynie nad poziom ulic.

— Ojej, to musi być most olbrzymów! — powiedziała Julia.

— Prędzej jakichś czarowników — rzekł Błotosmętek. — W takim miejscu jak to trzeba się wystrzegać złych czarów. Nie zdziwiłbym się, gdyby to była pułapka. Na pewno rozwieje się jak mgła, kiedy będziemy na samym środku.

— Och, na miłość boską, przestań być takim czarnowidzem i jęczyduszą! — rozzłościł się Scrubb. — Dlaczegóż by, u licha, nie miał to być prawdziwy most?

— A czy ty naprawdę uważasz, że którykolwiek

z tych olbrzymów, jakie widzieliśmy, potrafiłby zbudować coś takiego? — zapytał Błotosmętek.

— Ale przecież most mogły zbudować inne olbrzymy — powiedziała Julia. — Na przykład te, które żyły setki lat temu i były o wiele mądrzejsze od współczesnych. Może jest dziełem tych samych, co zbudo-

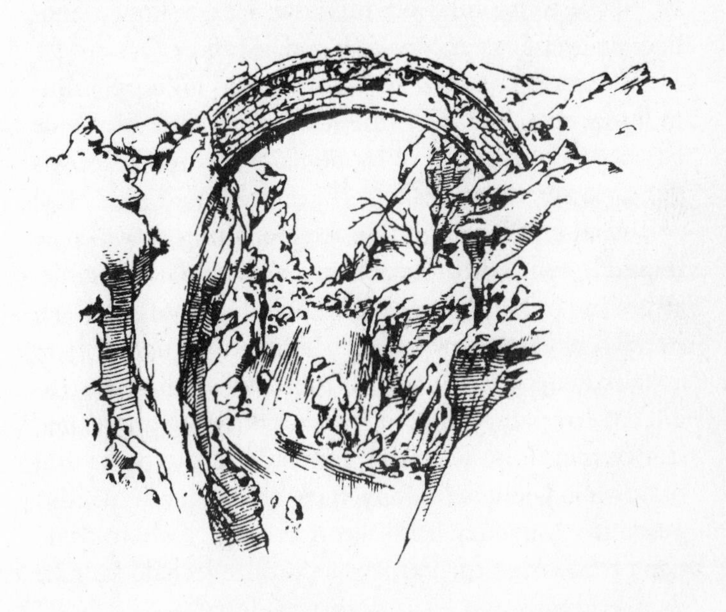

wały miasto, którego szukamy. A to by znaczyło, że jesteśmy na dobrej drodze. Starożytny most wiodący do ruin starożytnego miasta!

— To naprawdę genialna myśl, Pole! — zawołał Eustachy. — Tak na pewno jest. Idziemy.

Skręcili więc w lewo i poszli w stronę mostu. Gdy podeszli bliżej, nie mieli już żadnych wątpliwości, że jest to rzeczywista, solidna budowla. Poszczególne głazy — wielkie jak słupy z kamiennego kręgu w Stonehenge — musiały być dopasowane i połączone przez świetnych kamieniarzy, choć teraz były popękane i pokruszone. Balustradę pokrywały zmurszałe resztki bogatych płaskorzeźb: olbrzymów, minotaurów, ośmiornic, krocionogów i strasznych bóstw. Błotosmętek wciąż miał wątpliwości, lecz w końcu zgodził się wejść na most wraz z dziećmi.

Wspinaczka na szczyt kamiennego łuku była długa i męcząca. W wielu miejscach olbrzymie kamienie powypadały, tworząc okropne dziury, przez które widać było spienioną rzekę setki metrów pod nimi. Raz zobaczyli orła lecącego pod ich stopami. Im wyżej się wspinali, tym robiło się zimniej, a wiatr dął tak silnie, że trudno było posuwać się do przodu. Wydawało się, że cały most dygoce od jego wściekłych uderzeń.

Kiedy dotarli do szczytu, zobaczyli po drugiej stronie coś, co przypominało resztki jakiejś gigantycznej, starożytnej drogi wiodącej prosto do serca gór. I tutaj brakowało wielu kamiennych płyt tworzących niegdyś gościniec, a między tymi, które zostały, rosły rozległe kępy traw. A po tej starożytnej drodze jechało ku nim dwu jeźdźców wzrostu, dorosłych ludzi.

— Nie zatrzymujcie się. Idziemy ku nim — powiedział półgłosem Błotosmętek. — Każdy, kogo się spotka w takim miejscu, może być wrogiem, ale nie powinniśmy okazywać, że się boimy.

Kiedy zeszli z mostu na zarośniętą drogę, znaleźli się już bardzo blisko jeźdźców. Jeden był rycerzem w pełnej zbroi, z opuszczoną przyłbicą. Zbroja i koń były czarne, na tarczy nie jaśniało żadne godło, a na kopii nie powiewał żaden proporzec. Drugim jeźdźcem okazała się piękna pani na białym koniu, tak uroczym, że chciało się natychmiast pocałować go w nos i dać mu kawałek cukru. Ale sama pani, siedząca w damskim siodle i ubrana w obszerny, powiewający na wietrze strój oślepiająco zielonego koloru, była jeszcze bardziej urocza.

— Dzień dobr-r-ry, mili wędr-r-rowcy — powiedziała głosem tak słodkim jak najsłodszy ptasi trel, cudownie przedłużając wszystkie „r". — Widzę, że niektórzy z was są bar-r-rdzo młodzi, a mimo to wędr-r-ują po tak dzikich pustkowiach...

— Tak się jakoś złożyło — odpowiedział sucho Błotosmętek, nie tracąc czujności.

— Szukamy ruin starożytnego miasta olbrzymów — powiedziała Julia.

— R-r-ruin miasta? — powtórzyła pani. — To dziwne miejsce jak na cel poszukiwania. A co zr-r-robicie, jak je znajdziecie?

— Musimy... — zaczęła Julia, ale Błotosmętek szybko jej przerwał: — Racz wybaczyć, pani. Nie znamy ani ciebie, ani twojego towarzysza... jakiś taki cichy jegomość... a ty nie znasz nas. I na razie nie będziemy rozmawiać z obcymi o naszych sprawach, jeśli łaska. Nie sądzisz, że zanosi się na mały deszczyk?

Pani roześmiała się: był to najbogatszy, najbardziej melodyjny śmiech, jaki sobie można wyobrazić.

— No cóż, moje dzieci. Macie mądrego, poważnie myślącego przewodnika. Nie mam mu wcale za złe, że strzeże własnego zdania, ale i ja mogę mieć swoje. Często słyszałam o Zrujnowanym Mieście, ale nigdy nie spotkałam kogoś, kto by znał do niego drogę. Ta zaś wiedzie do miasta i zamku Harfang, gdzie mieszkają Łagodne Olbrzymy. Są one równie łagodne, uprzejme, roztropne i dobrze wychowane, jak głupie, dzikie, nieobliczalne i zdolne do każdego bestialstwa są olbrzymy z Ettinsmooru. Być może w Harfangu usłyszycie coś o Zrujnowanym Mieście, a być może nie, ale z całą pewnością znajdziecie tam dobrą gościnę u wesołych gospodarzy. Byłoby mądrze tam przezimować, a w każdym razie spędzić choć kilka dni, aby odpocząć i nabrać sił. Czeka tam na was gorąca kąpiel, miękkie łóżka i płonące kominki, a cztery razy dziennie podadzą wam pieczyste, domowe wypieki, słodycze i rozgrzewające krew napoje.

— Coś takiego! — ucieszył się Eustachy. — Tego mi właśnie trzeba! Spanie w prawdziwym łóżku!

— Tak, i gorąca kąpiel — dodała Julia. — Ale czy nas zaproszą? Ostatecznie nie jesteśmy ich znajomymi.

— Powiedzcie im tylko — rzekła pani — że Pani w Zielonej Szacie pozdrawia ich i posyła im na Święto Jesieni dwoje pięknych dzieci z południa.

— Och, dziękujemy, dziękujemy ci bardzo! — zawołały dzieci.

— Pamiętajcie tylko o jednym — dodała pani. — Niezależnie od tego, w jakim dniu przybędziecie do Harfangu, nie powinniście stanąć u bram zamku zbyt późno. Bramy są zamykane parę godzin po południu, a jest taki zwyczaj w tym zamku, że kiedy rygle opadną, nie podnosi się już ich tego samego dnia, choćbyście nie wiem jak głośno stukali.

Dzieci znów jej podziękowały, a pani pożegnała ich skinieniem dłoni. Błotowij zdjął swój dziwaczny, wysoki kapelusz i sztywno się skłonił. Potem milczący rycerz i piękna pani popędzili swe rumaki, które z łoskotem podków wbiegły na kamienny most.

— No i co wy na to? — odezwał się Błotosmętek. — Wiele bym dał, żeby się dowiedzieć, skąd ona jedzie i dokąd się udaje. Zauważyliście, że zupełnie nie pasowała do tego rodzaju istot, jakich się można spodziewać w dzikiej krainie olbrzymów?

— Och, co za bzdury! — zawołał Eustachy. — Jeśli o mnie chodzi, uważam, że była po prostu ekstra. Pomyślcie o gorącym jedzeniu i ciepłych pokojach. Mam nadzieję, że ten Harfang nie jest zbyt daleko.

— Z ust mi to wyjąłeś — powiedziała Julia. — A jej suknia była wprost szałowa. I ten koń!

— Niemniej — upierał się Błotosmętek — bardzo bym chciał wiedzieć o niej troszeczkę więcej.

— Zamierzałam ją prosić, aby nam o sobie opowiedziała — rzekła Julia — ale jak mogłam to zrobić, skoro nie chciałeś jej nic powiedzieć o nas?

— Właśnie — dodał Eustachy. — Dlaczego byłeś taki sztywny i nieuprzejmy? Czyżby ci się nie podobali?

— Nie podobali? — powtórzył błotowij. — A kim są ci „oni", o których mówisz? Ja widziałem tylko jedną osobę.

— Jak to? Nie widziałeś rycerza?

— Widziałem zbroję — rzekł Błotosmętek. — Dlaczego nic nie mówił?

— Może był nieśmiały — zauważyła Julia. — A może po prostu pragnął tylko patrzeć na nią i słuchać jej cudownego głosu. Na jego miejscu też bym tylko tego pragnęła.

— Tak sobie myślę — powiedział Błotosmętek — co by się naprawdę stało, gdyby tak podnieść przyłbicę tej zbroi i zajrzeć do środka.

— A dajże nam spokój z tym wszystkim! — zdenerwował się Eustachy. — Pomyśl o kształcie zbroi. Co by tam MOGŁO być prócz człowieka?

— A gdyby tak był tylko szkielet? — wycedził Błotosmętek zimno, przeciągając sylaby. — Albo na przykład — dodał po chwili — po prostu NIC. To znaczy nic, co można zobaczyć. Ktoś niewidzialny.

— Naprawdę, Błotosmętku — powiedziała Julia, czując, jak dreszcz przebiegł jej po plecach — ty zawsze musisz mieć jakieś straszne pomysły. Jak to się dzieje, że ci przychodzą do głowy?

— Och, daj sobie spokój z jego pomysłami! — zawołał Eustachy. — Zawsze spodziewa się najgorszego i zawsze się myli. Zajmijmy się lepiej tymi Łagodnymi Olbrzymami i ruszajmy zaraz do Harfangu. Chciałbym wiedzieć, jak to daleko.

I teraz właśnie nadszedł moment, w którym byli już blisko pierwszej z tych kłótni, przed którymi ostrzegał Błotosmętek. Co prawda już raz Julia i Eustachy trochę się posprzeczali, ale dopiero teraz doszło do pierwszej poważnej różnicy zdań. Błotosmętek był w ogóle przeciwny wędrówce do Harfangu. Trudno powiedzieć, twierdził, co u olbrzymów oznacza słowo „łagodny", a w każdym razie Znaki Aslana nic nie mówią o pobycie wśród olbrzymów, łagodnych czy wręcz przeciwnie. Natomiast dzieci, które miały już dość wiatru i deszczu, pieczonego nad ogniskiem włóknistego mięsa dzikich ptaków i spania na zmarzniętej ziemi, dostały kompletnego bzika na punkcie odwiedzin u Łagodnych Olbrzymów. W końcu Błotosmętek zgodził się na to, ale pod jednym warunkiem. Dzieci muszą uroczyście przyrzec, że nie powiedzą olbrzymom ani skąd przychodzą, ani po co idą. Złożyli przyrzeczenie i ruszyli w drogę.

Od spotkania z piękną panią pogorszyły się dwie sprawy. Po pierwsze, okolica zrobiła się bardziej dzika i niedostępna. Droga wiodła przez nie kończące się wąskie doliny, wzdłuż których lodowaty, ostry wiatr wiał im zawsze w twarze. Nie było drewna na rozpalenie ogniska, brakowało też zacisznych kotlinek do obozowania, w jakie obfitowała torfowa równina Ettinsmooru. Kamienisty grunt sprawiał, że pod koniec dnia mieli rany i odciski na nogach, a o świcie wstawali niewyspani, z obolałymi ciałami.

Po drugie, niezależnie od tego, jakie były naprawdę intencje pięknej pani, kiedy zachwalała im Harfang, na razie nie miało to dobrego wpływu na dzieci. Nie potrafiły już myśleć o niczym innym oprócz łóżek, kąpieli, gorących posiłków i wymarzonego słodkiego odpoczynku w prawdziwym domu. Przestały zupełnie rozmawiać o Aslanie i o zaginionym królewiczu. Julia porzuciła swój zwyczaj powtarzania Znaków każdego wieczoru i ranka. Najpierw mówiła sobie, że jest na to zbyt zmęczona, później w ogóle przestała o tym myśleć. I chociaż można by oczekiwać, że myśl o wspaniałościach Harfangu podniesie je na duchu, w rzeczywistości były jeszcze bardziej rozżalone swoim losem. Stały się też bardziej kłótliwe i skłonne do drwin z siebie i z Błotosmętka.

Pewnego popołudnia znaleźli się wreszcie w miejscu, gdzie wąwóz, którym wędrowali, rozszerzył się, a po obu jego stronach pojawił się sosnowy las. Spojrzeli przed siebie i zrozumieli, że przeszli już pierwsze pasmo gór. Przed nimi leżała pusta, skalista równina, za nią nowe góry ze szczytami pokrytymi śniegiem. A między nimi i tymi dalekimi szczytami wznosiło się niskie wzgórze z nieregularnym, płaskim wierzchołkiem.

— Spójrzcie! Spójrzcie! — zawołała Julia i wskazała przed siebie na drugi kraniec równiny, a tam, w zapadającym zmierzchu, poza płaskim wzgórzem zapaliły się światła. Nie światło księżyca, nie ogniska, lecz wołające o zacisznym domu rzędy oświetlonych okien. Jeśli nigdy nie byliście w dzikich pustkowiach — w dzień i w noc, tydzień po tygodniu — nie będziecie w stanie zrozumieć, co w tej chwili czuły dzieci.

— Harfang! — wykrzyknęli oboje rozradowanymi, podnieconymi głosami.

— Harfang! — powtórzył Błotosmętek matowym, ponurym głosem. Ale natychmiast dodał: — Hej! Dzikie gęsi! — i błyskawicznie ściągnął łuk z ramienia. Udało mu się zestrzelić dużą, tłustą gęś. Było o wiele za późno, by myśleć o dotarciu do bram Harfangu za dnia. Mieli jednak drewno na ogień i dobrą, gorącą kolację. Tego wieczoru, gdy kładli się na spoczynek, było im cieplej niż przez ostatnie siedem nocy. Kiedy jednak ognisko wygasło, noc stała się lodowato zimna, a następnego ranka koce były sztywne od mrozu.

— To nic — powiedziała Julia, przytupując, aby się rozgrzać. — Wieczorem czeka nas gorąca kąpiel!

Rozdział 7

WZGÓRZE DZIWNEGO LABIRYNTU

Nie ma wątpliwości, że był to najgorszy dzień ich wędrówki. Nad nimi wisiało ciemne niebo, nabrzmiałe ciężkimi od śniegu chmurami, pod nogami czuli zamarznięty skalisty grunt, a prosto w twarz dął wiatr, którego smaganie przypominało obdzieranie ze skóry. Kiedy zeszli na równinę, stwierdzili, że ta część starożytnego traktu jest jeszcze bardziej zniszczona. Musieli szukać go wśród olbrzymich głazów, otoczaków i ostrego gruzu. Była to ciężka droga dla poranionych nóg. Lecz choć odczuwali wielkie zmęczenie, przejmujące zimno nie pozwalało im zatrzymać się na odpoczynek.

Około dziesiątej rano pojawiły się pierwsze drobne płatki śniegu, wirujące w powierzu i osiadające na ubraniach. Dziesięć minut później padały już dość gęsto. W ciągu dwudziestu minut wszystko pokryło się bielą. A nie minęło pół godziny, gdy oślepiła ich straszliwa burza śnieżna. Zanosiło się na to, że będzie trwała cały dzień.

Aby zrozumieć, co stało się później, musicie pamiętać, że prawie nic nie widzieli. Kiedy zbliżali się do niskiego wzgórza oddzielającego ich od miejsca, w którym poprzedniego wieczora pojawiły się oświetlone okna, nie byli w stanie ogarnąć go spojrzeniem. Prawdę mówiąc, nie widzieli przed sobą nic prócz śniegu, a w dodatku musieli mrużyć oczy przed zamiecią. Nie trzeba chyba dodawać, że nic do siebie nie mówili.

Kiedy wreszcie doszli do wzgórza, po obu stronach zamajaczyło im coś, co mogło być skałami — niskimi i dziwnie równymi, jeśliby dobrze im się przyjrzeć, ale nikt nie był w stanie tego uczynić. Wszyscy wpatrywali się w półtorametrowy występ skalny, który nagle wyłonił się z zamieci. Długie nogi Błotosmętka pozwoliły mu bez trudu wdrapać się na szczyt kamiennej półki. Dla dzieci było to o wiele trudniejsze (choć Błotosmętek im pomagał), zwłaszcza że na szczycie leżała gruba warstwa śniegu. Teraz czekała ich ostrożna wędrówka po bardzo nierównej, śliskiej powierzchni — Julia przynajmniej raz się przewróciła — a potem doszli do drugiego występu. W sumie były cztery takie kamienne półki w nierównych odstępach od siebie.

Po wdrapaniu się na czwartą półkę nie mieli wątpliwości, że są już na szczycie wzgórza. Aż dotąd jego dziwnie ukształtowane zbocze dawało im jakąś osłonę przed wiatrem. Teraz uderzył w nich z całą wściekłością. Wzgórze — co było nieco zaskakujące — okazało się na szczycie zupełnie płaskie: wielka, gładka jak stół powierzchnia, po której bez przeszkód przewalała się śnieżna zamieć. Tylko w nielicznych zagłębieniach utrzymywał się śnieg, bo wiatr porywał go wciąż do góry, ciskając im w twarze lodowate kłęby i smugi kłującego pyłu i tworząc małe śnieżne wiry wokół stóp, jak się to czasami dzieje na lodowisku. W wielu miejscach powierzchnia wzgórza była zresztą gładka jak lód, a w dodatku poprzecinana jak labirynt jakimiś dziwnymi przegrodami i groblami, dzielącymi ją na kwadraty lub długie prostokąty. Na każdą taką przegrodę trzeba się było, rzecz jasna, wspinać, a miały od połowy do półtora metra wysokości i kilka metrów szerokości. Po północnej stronie każdej przegrody nagromadziły się grube warstwy śniegu, co oznaczało, że każde zejście połączone było z zapadaniem się po pas w mokrą zaspę.

Julia brnęła przed siebie z nisko pochyloną głową otuloną kapturem, a skostniałe z zimna ręce schowała pod peleryną. Poprzez śnieg dostrzegała różne dziwne rzeczy. Po prawej stronie zamajaczyły jakieś kształty, przypominające fabryczne kominy, a po lewej — wysokie urwisko, bardziej równe i prostopadłe, niżby to pasowało do najbardziej stromego urwiska. Nie poświęciła jednak tym kształtom ani jednej myśli. Potrafiła teraz myśleć jedynie o zimnych rękach (i nosie, i policzkach, i uszach) oraz o gorącej kąpieli i wygodnym łóżku w Harfangu.

Nagle przewróciła się, pośliznęła do przodu i zaczęła zjeżdżać w ciemną, wąską czeluść. W chwilę później zatrzymała się. Wyglądało na to, że wpadła do jakiegoś wąskiego okopu lub sztolni. I chociaż nagły upadek porządnie ją wystraszył, pierwszym odczuciem była ulga: wiatr już jej nie smagał, bo ściany okopu wznosiły się wysoko ponad nią. A w chwilę później zobaczyła przerażone twarze Scrubba i Błotosmętka, którzy patrzyli na nią znad krawędzi.

— Czy jesteś ranna, Pole? — zawołał Scrubb.

— OBIE nogi złamane, wcale bym się nie zdziwił — powiedział Błotosmętek.

Julia wstała i wyjaśniła, że jest cała i zdrowa, ale że nie wydostanie się bez ich pomocy.

— Co to jest, w co wpadłaś? — zapytał Scrubb.

— To coś w rodzaju okopu albo może jakaś zapadnięta ulica, albo coś innego. Biegnie zupełnie prosto.

— Tak, i niech to licho porwie, biegnie prosto na północ! — zawołał Scrubb. — Może to jakiś rodzaj drogi? Moglibyśmy nią iść osłonięci od wiatru. Czy dużo tam śniegu na dnie?

— Prawie wcale. Chyba wiatr przenosi go nad krawędziami.

— A co jest dalej?

— Chwileczkę, zaraz pójdę i zobaczę — odpowiedziała Julia. Nie uszła jednak daleko, gdy rów skręcił nagle w prawo. Przekazała tę informację pozostałym.

— A co jest za zakrętem? — spytał Eustachy.

Tak się akurat złożyło, że Julia miała ten sam stosunek do wijących się korytarzy i ciemnych przejść pod ziemią, a nawet prawie pod ziemią, co Eustachy do krawędzi stromych urwisk. Wcale nie miała ochoty pójść dalej, za róg ciemnego okopu, zwłaszcza gdy usłyszała Błotosmętka wrzeszczącego gdzieś w górze:

— Bądź ostrożna, Pole! Takie korytarze mogą prowadzić do jaskini smoka. W krainie olbrzymów mogą też żyć olbrzymie ziemne glisty lub wielkie robaki.

— Wydaje mi się, że to nigdzie dalej nie prowadzi — powiedziała Julia, wracając szybko z powrotem.

— Muszę to sam obejrzeć — rzekł Eustachy. — Chciałbym wiedzieć, co masz na myśli, mówiąc „nigdzie dalej". — Usiadł na skraju rowu (każde z nich było już zbyt mokre, by przejmować się tym, że będzie mokrzejsze) i zjechał na dno. Przecisnął się obok Julii, która — choć nic nie mówił — była pewna, że Eustachy wie o jej oszustwie. Poszła więc za nim, starając się trzymać trochę w tyle.

Okazało się jednak, że zwiad Eustachego nie przyniósł żadnego pożytecznego rezultatu. Za rogiem korytarz skręcał w prawo, a po kilku krokach znaleźli rozgałęzienie: jeden korytarz wiódł dalej prosto, drugi ponownie skręcał w prawo.

— To nic nie da — rzekł Eustachy, patrząc w prawe odgałęzienie — to prowadzi z powrotem, na południe. — Ruszył więc dalej prosto, ale po paru krokach znowu napotkali zakręt w prawo. Tym razem jednak nie było wyboru, bo korytarz kończył się gładką ścianą.

— Nic z tego — mruknął Scrubb. Julia, nie tracąc czasu, odwróciła się i popędziła z powrotem. Błotowij wyciągnął ich bez trudu swoimi długimi rękami.

Straszne było znaleźć się znowu na szczycie wzgórza. Tam, w dole, na dnie głębokiego rowu, uszy im prawie odtajały, mogli też widzieć wyraźnie, oddychać bez trudu i porozumiewać się ze sobą bez krzyku. Tu, na górze, smagający śniegiem, lodowaty wiatr doprowadzał ich do krańcowej rozpaczy. A jeszcze na dodatek Błotosmętek wybrał akurat ten moment, aby zawołać:

— Czy wciąż dobrze pamiętasz te Znaki, Pole? Jakiego teraz powinniśmy szukać?

— Och, daj mi SPOKÓJ! Do licha ze Znakami! — burknęła Julia. — Zdaje mi się, że to było coś takiego o kimś, kto wypowie imię Aslana. Ale niech mnie dunder świśnie, jeżeli będą ci tutaj recytowała Znaki!

Jak na pewno zauważyliście, pomyliła kolejność. A to dlatego, że przestała powtarzać Znaki każdego wieczora przed zaśnięciem. Gdyby się wysiliła, wciąż jeszcze mogłaby je sobie przypomnieć, ale nie potrafiła już ich wyrecytować bez zastanowienia, z poczuciem pewności, że niczego nie opuściła i wszystko jest w dobrej kolejności. Pytanie Błotosmętka rozzłościło ją, ponieważ głęboko w sercu było jej wstyd, że nie pamięta już pouczeń Lwa tak dobrze, jak powinna. To właśnie ten wstyd, w połączeniu z całym utrapieniem przemęczenia i zziębnięcia, kazał jej powiedzieć: „Do licha ze Znakami!". Prawdopodobnie wcale tak nie myślała.

— Ach, więc to ma być następny Znak? Jesteś pewna? — dopytywał się Błotosmętek. — Zastanawiam się, czy masz rację. Chyba je pomyliłaś, i wcale bym się nie dziwił. Coś mi się wydaje, że to wzgórze, to płaskie miejsce, na którym jesteśmy, warte jest tego, by mu się dobrze przyjrzeć. Czy nie zauważyliście, że...

— Na wielkiego smoka! — przerwał mu Scrubb. — Czy to właściwy czas na podziwianie widoków? Na miłość boską, idźmy dalej!

— Hej, patrzcie, patrzcie! — zawołała Julia i wskazała przed siebie. Wszyscy spojrzeli w tym kierunku. A tam, na północy, o wiele wyżej od płaskiego szczytu wzgórza, na którym stali, pojawił się rząd świateł. Tym razem było jeszcze bardziej oczywiste, że są to okna: małe okienka, pozwalające rozkoszować się myślą o łaźniach, i wielkie okna, pozwalające marzyć o przestronnych salach z trzaskającym wesoło ogniem na kominku i o gorącej zupie lub dymiących polędwicach na stole.

— Harfang! — zawołał Eustachy.

— Bardzo pięknie — rzekł Błotosmętek — ale mówiłem właśnie...

— Och, przestań już gadać! — przerwała mu Julia ze złością. — Nie mamy ani chwili do stracenia. Pamiętacie, co mówiła pani o tym ich zwyczaju wczesnego zamykania bram? Musimy tam zdążyć o właściwej porze, musimy, musimy! UMRZEMY wszyscy, jeśli zostaniemy za murami w taką noc.

— Ściśle mówiąc, to jeszcze nie jest noc — zaczął znowu Błotosmętek ponuro, ale dwoje dzieci zawołało — Idziemy! — i zaczęło się ślizgać po gładkiej powierzchni wzgórza tak szybko, jak im na to pozwalały obolałe nogi. Błotowij ruszył za nimi, wciąż coś mówiąc, ale teraz, w szalejącej wściekle zadymce, nie usłyszeliby nic, choćby nawet chcieli. A jest pewne, że nie chcieli. Marzyli tylko o kąpieli, łóżkach i o czymś gorącym do picia, a myśl o tym, że mogą nie zdążyć i zastać bramę zamkniętą aż do jutra, trudna była do zniesienia.

Pomimo tego pośpiechu przejście całego płaskiego szczytu dziwnego wzgórza zajęło im wiele czasu. A kiedy już je przeszli, napotkali znowu kamienne półki, po których tym razem musieli zejść w dół. W końcu jednak stanęli u stóp wzgórza i mogli zobaczyć, jak naprawdę wygląda Harfang.

Stał na wysokiej skale i pomimo wielu wieżyc bardziej przypominał jakiś gigantyczny dom niż zamek. Było oczywiste, że Łagodne Olbrzymy nie obawiają się żadnego ataku. W zewnętrznych murach okna widniały zupełnie nisko — rzecz nie do pomyślenia w prawdziwej twierdzy. Było też wiele dziwnych drzwiczek tu i tam, umożliwiających wyjście i wejście do zamku bez potrzeby przechodzenia przez dziedziniec. Podniosło to na duchu Julię i Eustachego. Wielki dom wydawał się przez to bardziej przyjazny i mniej niedostępny.

Z początku przeraziła ich wysokość i stromość skały, ale wkrótce spostrzegli łatwiejszą drogę wiodącą ku bramie. Ale i tak, biorąc pod uwagę to, co dzisiaj przeszli, była to mozolna wspinaczka. Julia prawie opadła z sił. Ostatnie pięćdziesiąt metrów przeszła dzięki pomocy Eustachego i Błotosmętka. Wreszcie stanęli przed bramą zamku. Krata była podniesiona, a wrota stały otworem.

Można być nie wiem jak zmęczonym, lecz przejście przez bramę domostwa olbrzymów kosztuje jednak zawsze trochę nerwów. I mimo swego braku zaufania do Harfangu to właśnie Błotosmętek wykazał największą odwagę.

— Idziemy spokojnie — powiedział. — Nie sprawiajcie wrażenia przestraszonych, cokolwiek by się działo. Przychodząc tu, zrobiliśmy najgłupszą rzecz na świecie, ale jeśli już tu JESTEŚMY, powinniśmy zachować twarz.

Po tych słowach wkroczył w bramę, zatrzymał się pod jej sklepieniem, gdzie echo mogło wzmocnić jego głos, i zawołał tak głośno, jak potrafił:

— Hej, ho! Odźwierny! Goście szukają noclegu!
I czekając na to, aby coś się wydarzyło, zdjął kapelusz i strącił z szerokiego ronda grubą warstwę śniegu.

— No wiesz — szepnął Eustachy do Julii — może on i jest strasznym jęczyduszą, ale odwagi i tupetu mu nie brak.

Otworzyły się jakieś drzwi, z których popłynął cudowny blask płonącego kominka, i wyszedł odźwierny. Julia zagryzła mocno wargi, aby nie zapiszczeć ze strachu. Nie był to największy z olbrzymów, to znaczy był zapewne wyższy od sporej jabłonki, ale jednak nie tak wysoki jak słup telegraficzny. Miał rudą, szczeciniastą brodę, skórzany kaftan nabijany metalowymi płytkami, tworzącymi coś w rodzaju kolczugi, gołe nogi (bardzo owłosione) i jakieś owijacze na stopach. Pochylił się i wytrzeszczył oczy na Błotosmętka.

— Jak się nazywają stworzenia takie jak ty? — zapytał.

Julia zdobyła się na odwagę i zawołała:

— Hej, posłuchaj! Pani w Zielonej Sukni pozdrawia króla szlachetnych olbrzymów i przysyła nas dwoje, dzieci z południa, oraz błotowija, ma na imię Błotosmętek, na wasze Święto Jesieni. Jeśli nie macie nic przeciwko temu — dodała.

— Ho, ho! — wykrzyknął odźwierny. — To całkiem inna historia. Wejdźcie, mali ludkowie, wejdźcie. Najlepiej będzie, jak wejdziecie do stróżówki, a ja poślę słówko jego królewskiej mości. — Przyglądał się dzieciom z ciekawością. — Niebieskie twarze — powiedział. — Nigdy nie sądziłem, że mają takie twarze.

Jeśli chodzi o mnie, wcale mi to nie przeszkadza. Na pewno wy sami nie widzicie w tym nic dziwnego. Robaczki mają upodobanie w drugich robaczkach, jak to mówią.

— Nasze twarze są niebieskie z zimna! — wyjaśniła Julia. — NAPRAWDĘ nie jesteśmy takiego koloru.

— A więc wejdźcie i ogrzejcie się. Wchodźcie, ludziki.

Weszli do stróżówki. Straszliwy łoskot zamykanych za nimi drzwi nie należał do przyjemnych odgłosów, ale zapomnieli o nim od razu, kiedy zobaczyli to, o czym marzyli od czasu ostatniej kolacji — kominek! I co za kominek! Płonęło na nim chyba z pięć całych drzew, a żar bił taki, że trudno było się zbliżyć. Ale i tak wszyscy troje opadli na ceglaną podłogę tak blisko ognia, jak można było wytrzymać, i wydali z siebie westchnienie ulgi.

— Słuchaj no, młodziku — rzekł odźwierny do innego olbrzyma, który siedział w głębi izby, gapiąc się na przybyszów, jakby mu oczy miały wyskoczyć z głowy — skocz mi zaraz z wiadomością do Domu. — I powtórzył, co mu powiedziała Julia. Młodszy olbrzym spojrzał na nich jeszcze raz, wybuchnął rubasznym śmiechem i wyszedł z izby.

— Hej, ty, Żabowaty — zwrócił się odźwierny do Błotosmętka. — Wyglądasz mi na takiego, co chciałby sobie czymś poprawić humor. — I wyciągnął czarną butlę, bardzo podobną do tej, jaką miał Błotosmętek, tyle że dwadzieścia razy większą. — Zaraz, zaraz, niech no pomyślę. Nie mogę ci dać kubka, bobyś się utopił. Pomyślmy. Ta solniczka będzie w sam raz. Nie musisz o tym wspominać w Domu. Nie moja to wina, że srebro zawsze jakoś tu się przyplątuje.

Solniczka była nieco inna niż nasze, bardziej wąska i wysoka, tak że mogła rzeczywiście służyć Błotosmętkowi za kubek. Dzieci spodziewały się, że błotowij odmówi, nie mając przecież za grosz zaufania do Łagodnych Olbrzymów. Ale zamruczał tylko:

— Teraz, jak już jesteśmy w środku, a drzwi się zatrzasnęły, trochę za późno na ostrożność — i powąchał zawartość solniczki. — Zapach ma całkiem niezły — zauważył — ale to jeszcze nic nie znaczy. Lepiej się upewnić — i pociągnął spory łyk. — Smakuje też nieźle. Ale może tylko PIERWSZY łyk? Jaki będzie drugi? — Łyknął znowu, tym razem o wiele więcej. — Ach! Ale czy takie samo jest do końca? — i pociągnął znowu. — Założę się, że na samym dnie będzie coś paskudnego. — Tym razem wypił wszystko. Oblizał wargi i odezwał się do dzieci: — To jest próba, rozumiecie? Jeżeli mnie pokręci albo rozsadzi, albo zamieni w jaszczurkę, albo coś innego, będziecie wiedzieć, że nie wolno brać niczego, co wam tu zaproponują.

Tymczasem olbrzym, który był za wysoki, aby słyszeć, co mamrocze Błotosmętek, ryknął śmiechem i powiedział:

— Widzę, Żabowaty, że z ciebie chłop na schwał! Aleś sobie z tym poradził!

— Jestem błotowijem — odrzekł Błotosmętek niezbyt uprzejmym tonem. — I nie jestem żadną żabą. Jestem błotowijem.

W tej chwili drzwi się otworzyły i wrócił młodszy olbrzym, mówiąc:

— Mają iść od razu do sali tronowej.

Dzieci wstały, ale Błotosmętek nie ruszył się z miejsca i tylko powtarzał:

— Błotowijem. Błotowijem. Bardzo zacnym błotowijem. Zacnowijem.

— Pokaż im drogę, młodziku — rzekł odźwierny. — Chyba będziesz musiał zanieść Żabowatego. Wypił kropelkę za dużo i trochę mu zaszkodziło.

— Nic mi nie jest — powiedział Błotosmętek. — I tylko nie żaba. Nic mi do żaby. Jestem zacnobijem.

Ale młody olbrzym schwycił go wpół i dał znać dzieciom, aby szły za nim. W taki niezbyt godny sposób przeszli przez dziedziniec. Błotosmętek, trzymany przez olbrzyma w dłoni i wymachujący rękami i nogami, rzeczywiście bardzo przypominał żabę. Ale nie mieli czasu, aby to zauważyć, bo wkrótce przeszli przez wielką bramę — a obojgu serca zaczęły bić mocniej — i po kluczeniu korytarzami (truchtem, żeby nadążyć za krokami olbrzyma) szli już, mrużąc oczy, przez olbrzymią salę zalaną światłem wielu lamp i blaskiem ognia płonącego na wielkim kominku, odbijającym się w złoceniach sufitu i gzymsów. Po lewej i po prawej stronie stało tyle olbrzymów, że trudno było je zliczyć. Wszystkie ubrane były we wspaniałe szaty, a na dwu tronach w dalekim końcu sali siedziały dwie wielkie postacie, wyglądające na króla i królową.

Jakieś pięć metrów przed tronami olbrzym zatrzymał się. Julia wykonała okropną karykaturę ukłonu (w Eksperymentalnej Szkole nie uczono dziewcząt dworskich manier). Młody olbrzym ostrożnie postawił Błotosmętka na posadzce, lecz ten opadł natychmiast do pozycji najbardziej przypominającej siedzącą. Prawdę powiedziawszy, ze swymi długimi członkami błotowij zupełnie przypominał wielkiego pająka.

Rozdział 8

HARFANG

No, dalej, Pole. Rób, co do ciebie należy — szepnął Eustachy.

Julii tak zaschło w ustach, że nie mogła wykrztusić ani słowa. Rozpaczliwie kiwnęła głową do Scrubba.

Pomyślawszy sobie, że nigdy jej (i Błotosmętkowi) tego nie zapomni, Eustachy oblizał wyschnięte wargi i powiedział głośno do króla olbrzymów:

— Racz mnie wysłuchać, wasza królewska mość! Pani w Zielonej Sukni pozdrawia cię naszymi ustami i sądzi, że będziesz rad, mając nas na Święto Jesieni w swym zamku.

Król i królowa popatrzyli po sobie, pokiwali głowami i uśmiechnęli się w sposób, który Julii nie bardzo przypadł do gustu. Król podobał się jej bardziej niż królowa. Miał piękną, falistą brodę, orli nos i, jak na olbrzyma, wyglądał zupełnie przyzwoicie. Natomiast królowa była okropnie gruba. Miała dwa podbródki i tłustą, upudrowaną twarz, co nigdy nie jest specjalnie ładne, a z pewnością wygląda jeszcze gorzej, jeśli twarz jest dziesięć razy większa od normalnej. Potem król wysunął język i oblizał wargi. Nie byłoby w tym nic nadzwyczajnego i każdy mógłby to zrobić, ale jego język był tak wielki i czerwony, a wysunął się tak niespodziewanie, że dla Julii było to wstrząsem.

— Och, jakie DOBRE dzieci! — powiedziała królowa.

(„Ostatecznie może nie jest taka zła", pomyślała Julia.)

— Tak, w rzeczy samej — rzekł król — wspaniałe dzieciaki. Witamy was na naszym dworze. Podajcie mi ręce.

Wyciągnął do nich swą wielką prawą dłoń — bardzo czystą, z wieloma pierścieniami na palcach, ale z okropnie ostrymi paznokciami. Okazało się jednak, że była o wiele za duża, aby uścisnąć wyciągnięte ku niemu ręce dzieci, więc tylko potrząsnął ich ramionami.

— A co to takiego? — zapytał, wskazując na Błotosmętka.

— Zacnobij — rzekł Błotosmętek.

— Och! — zapiszczała królowa, zbierając ciasno spódnicę przy kostkach. — To jest paskudne! To żyje!

— On jest całkiem w porządku, wasza królewska mość, naprawdę — powiedział szybko Eustachy. — Będzie się wam podobał o wiele bardziej, kiedy go poznacie. Jestem tego pewien.

Mam nadzieję, że od tego miejsca aż do końca książki nie stracicie serca dla Julii, jeśli wam powiem, że w tym momencie zaczęła płakać. Naprawdę, miała wiele na swoje usprawiedliwienie. Jej stopy, ręce, uszy i nos dopiero zaczynały tajać, roztopiony śnieg spływał z jej płaszcza, przez cały dzień nic nie miała w ustach, a nogi drżały tak, że czuła, iż za chwilę się przewróci.

W każdym razie okazało się to w tej chwili bardziej korzystne, niż gdyby zrobiła cokolwiek innego, bo królowa powiedziała:

— Ach, biedne dziecko! Panie mój i małżonku to nieładnie z naszej strony, że pozwalamy naszym gościom stać tak długo. Hej, kilku z was! Zabierzcie stąd szybko te dzieci! Dajcie im coś do zjedzenia i picia, przygotujcie kąpiel. Pocieszcie tę małą dziewczynkę. Dajcie jej lizaka, dajcie jej lalki i zabawki, dajcie jej lekarstwa, dajcie jej wszystko, co można wymyślić, grzanego mleka z winem i korzeniami, kandyzowanych owoców, herbatki z kminku. Zaśpiewajcie jej kołysankę. Nie płacz, malutka, nie płacz, bo będziesz do niczego, kiedy nadejdzie święto.

Każde z was oburzyłoby się na wzmiankę o zabawkach i lalkach, nic więc dziwnego, że i Julię ogarnęła złość. Lizaki i mleko z korzeniami nie były w końcu najgorsze, ale w tej chwili marzyła raczej o czymś bardziej konkretnym do jedzenia. Głupia przemowa królowej przyniosła jednak wspaniały skutek, ponieważ Błotosmętek i Eustachy zostali natychmiast porwani przez olbrzymich paziów, a Julia przez olbrzymią dwórkę, i odniesieni do komnat gościnnych.

Pokój Julii był rozmiarów kościoła i mógłby się wydawać ponury, gdyby nie huczący na kominku ogień i bardzo gruby, szkarłatny dywan na podłodze. Tutaj zaczęto z nią wyprawiać cudowne rzeczy. Przekazano ją starej niani królowej, która z punktu widzenia olbrzymów była niską staruszką, prawie zgiętą we dwoje ze starości, ale z ludzkiego punktu widzenia olbrzymką na tyle małą, że mogłaby chodzić po normalnym pokoju, nie uderzając bez przerwy głową w sufit. Była bardzo zręczna, choć Julia marzyła o tym, by przestała wciąż mlaskać i mówić takie rzeczy, jak: „Hop-la" i „Dobzie, moja perełko?" i „No, teraz będzie cacy, moja laleczko". Napełniła balię gorącą wodą i pomogła Julii do niej wejść. Jeśli się potrafi pływać (a Julia potrafiła), kąpiel w balii olbrzymów jest cudowną sprawą. Wspaniałe też są ręczniki olbrzymów (choć nieco szorstkie i pospolite), bo są ich całe metry. W ogóle nie trzeba się wycierać, wystarczy owinąć się w nie przed kominkiem i jest rozkosznie. A potem przyniesiono czyste, świeże, ciepłe suknie, naprawdę cudowne suknie, i choć troszeczkę na nią za duże, wyraźnie uszyte dla normalnej kobiety, nie dla olbrzymki. „Przypuszczam, że jeśli ta Pani w Zielonej Sukni ich odwiedza, to muszą być przyzwyczajeni do gości naszego wzrostu", pomyślała Julia.

Za chwilę przekonała się, że miała rację, bo zastawiono dla niej stół przystosowany do wzrostu normalnego dorosłego człowieka, a noże, widelce i łyżki też były zwykłej wielkości. Cudownie było usiąść sobie wygodnie przy stole, czując się wreszcie ogrzaną i czystą. Nogi wciąż miała bose i z rozkoszą zanurzała je po kostki w puszystym dywanie; było to najlepsze, co można sobie wymarzyć dla poranionych i obolałych stóp. Jedzenie — które, jak sądzę, trzeba by nazwać obiadem, choć była już pora podwieczorku — składało się z rosołu z kury, pieczonego indyka, jarzynowego budyniu gotowanego na parze, pieczonych kasztanów i tylu owoców, ile tylko można było zjeść.

Drażniło ją tylko to, że niania wciąż wychodziła

i wchodziła, i za każdym razem przynosiła jakąś gigantyczną zabawkę: olbrzymią lalkę większą od Julii, drewnianego konia na kółkach rozmiarów małego słonia, bęben wyglądający jak mały zbiornik na wodę, i jagniątko z wełny. Były to proste, niezdarnie wykonane zabawki, jaskrawo pomalowane, i Julii nie-

dobrze się robiło na ich widok. Za każdym razem powtarzała, że wcale ich nie potrzebuje, a niania odpowiadała:

— Tiu-tiu-tiu! Na pewno będziesz ich potrzebowała, kiedy już troszkę odpoczniesz. Tak, tak! Hi-hi-hi! A teraz do łóżeczka. Co za rozkoszna lalunia!

Łóżko też było normalnych rozmiarów, choć i tak wielkie, z rodzaju tych, jakie się czasami spotyka w staroświeckich hotelach. Jak małe się wydawało w tym olbrzymim pokoju i z jaką rozkoszą Julia do niego wskoczyła!

— Czy wciąż jeszcze pada śnieg, nianiu? — zapytała sennym głosem.

— Nie. Teraz pada deszcz, mój pieszczoszku — odpowiedziała olbrzymka. — Deszcz spłucze ten brzydki śnieg. Moja rozkoszna laleczka będzie mogła jutro wyjść i pobawić się na dworze. — Otuliła Julię kołdrą i pocałowała ją na dobranoc.

Nie wyobrażam sobie nic bardziej przykrego od pocałunku olbrzymki. Julia pomyślała to samo, ale po pięciu minutach już spała.

Deszcz padał nieprzerwanie przez całe popołudnie i całą noc, bębniąc w okna zamku, ale Julia nic nie słyszała, śpiąc mocno aż do północy. A kiedy nadeszła owa martwa godzina, gdy w całym domu olbrzymów wszyscy już spali (prócz myszy), miała sen. Wydawało się jej, że budzi się w tym samym wielkim pokoju i widzi ogień na kominku, już niski i czerwony, a w jego świetle wielkiego drewnianego konia. Koń poruszył się nagle i na swych kółkach podjechał po dywanie aż do jej łóżka. Ale teraz nie był to już koń, lecz lew, tak duży jak koń. I nie była to już zabawka, lecz prawdziwy lew, TEN prawdziwy Lew, tak jak go widziała na górze poza krańcem świata. Słodki zapach wypełnił pokój. Ale Julia odczuwała w sercu jakiś niepokój i lęk, chociaż nie mogła sobie przypomnieć, z jakiego powodu, i łzy popłynęły jej z oczu, mocząc poduszkę. Lew kazał jej powtórzyć Znaki, a ona stwierdziła, że wszystko zapomniała. Wtedy ogarnęła ją straszliwa groza. I Aslan wziął ją w paszczę (czuła jego wargi i oddech, ale nie czuła zębów) i zaniósł do okna, aby przez nie popatrzyła. Księżyc świecił jasno, a przez cały świat albo przez całe niebo (trudno to było określić) biegły wielkie litery, układające się w słowa PODE MNĄ. Potem sen się skończył, a kiedy się obudziła późnym rankiem, nie pamiętała, że w ogóle coś jej się śniło.

Wstała, ubrała się i zjadła śniadanie przed kominkiem, kiedy niania otworzyła drzwi i powiedziała:

— Tutaj są mali przyjaciele mojej cudownej laleczki. Będzie miała się z kim bawić.

Wszedł Eustachy i błotowij.

— Hej! Dzień dobry! — powitała ich Julia. — Czy to nie śmieszne? Spałam prawie piętnaście godzin. No, ale naprawdę czuję się lepiej, a wy?

— JA tak — odrzekł Eustachy. — Ale Błotosmętek twierdzi, że boli go głowa. Spójrz! Twoje okno jest w wykuszu! Można stamtąd wyjrzeć na świat. — I od razu wszyscy troje to zrobili, i wystarczył jeden rzut oka, aby Julia zawołała:

— Och! To przecież straszne?

Słońce jasno świeciło, a nocny deszcz niemal całkowicie spłukał śnieg. Gdzieniegdzie tylko zostały niewielkie białe plamy. Poniżej, jak rozłożona mapa, rozciągało się przed nimi płaskie wzgórze, które wczoraj pokonali z tak wielkim trudem. Teraz, z wysokości zamku, nie mogło być żadnych wątpliwości: patrzyli na ruiny gigantycznego miasta. Było płaskie, bo — jak teraz Julia widziała wyraźnie — pokrywały je kamienne płyty, chociaż w niektórych miejscach chodnik wykruszył się lub popękał. Przecinające wzgórze rowy czy sztolnie były pozostałościami murów wielkich budowli, które mogły być pałacami i świątyniami olbrzymów. Część murów, wysokich na jakieś sto pięćdziesiąt metrów, zachowała się do dziś i ją właśnie pomyliła podczas zamieci ze skalnym urwiskiem. Kształty przypominające kominy fabryczne okazały się potężnymi kolumnami, połamanymi na różnych wysokościach; ich szczątki leżały opodal jak monstrualne pnie kamiennych drzew. Półki, z których z takim trudem schodzili po północnej stronie — a także bez wątpienia te, na które musieli wspiąć się po stronie południowej — były szczątkami stopni olbrzymich schodów. Aby dopowiedzieć wszystko do końca, przez środek kamiennego placu biegły wielkie czarne litery, układające się w słowa PODE MNĄ.

Trzej wędrowcy popatrzyli po sobie z przerażeniem, a Eustachy gwizdnął i wypowiedział to, o czym wszyscy myśleli:

— Drugi i trzeci Znak mamy z głowy.

I w tym momencie Julia przypomniała sobie swój sen.

— To moja wina — powiedziała zrozpaczonym głosem. — Ja... ja przestałam powtarzać Znaki codziennie przed zaśnięciem. Gdybym o nich myślała, nawet w tej śnieżycy poznałabym, że to zrujnowane miasto.

— Moja wina jest większa — odezwał się Błotosmętek. — Ja to POZNAŁEM lub prawie poznałem. Pomyślałem sobie, że to wygląda zupełnie jak ruiny miasta.

— Tylko tobie nie można niczego zarzucić — powiedział Eustachy. — Przecież PRÓBOWAŁEŚ nas zatrzymać.

— Ale nie próbowałem skutecznie — rzekł błotowij. — I prawdę mówiąc, nie miałem do tego za wiele serca. A przecież powinienem to zrobić. Jakbym nie mógł was zatrzymać jedną ręką!

— Wszyscy znamy prawdę — powiedział Eustachy. — Tak okropnie chciało nam się wyspać w ciepłym łóżku, że przestaliśmy troszczyć się o cokolwiek innego. W każdym razie mogę to powiedzieć o sobie. Od czasu spotkania tej kobiety z milczącym rycerzem nie myśleliśmy o niczym innym. Prawie już zapomnieliśmy o królewiczu Rilianie.

— Wcale bym się nie zdziwił — zauważył Błotosmętek — gdyby jej o to właśnie chodziło.

— Nie rozumiem tylko jednego — powiedziała Julia. — Jak to się stało, że nie widzieliśmy tych liter? A może ich jeszcze wczoraj nie było? Może on, Aslan, wypisał je ostatniej nocy? Miałam taki dziwny sen. — I opowiedziała go.

— Ale ty jesteś głupia! — zawołał Eustachy. — Widzieliśmy je. Weszliśmy w te litery. Nie rozumiesz? Wpadłaś w literę E w słowach PODE MNĄ. Szliśmy wzdłuż dolnej poziomej kreski E, prosto na północ, skręciliśmy prostopadle w prawo, na wschód, wzdłuż pionowej pałki, doszliśmy do drugiego skrętu w prawo, w środku pałki, ale nie weszliśmy w środkową poziomą kreskę, tylko szliśmy dalej na wschód, do góry litery, aż do trzeciego skrętu w prawo. I tu już nie było wyboru, skręciliśmy na południe i w ten sposób doszliśmy do końca litery. Ale z nas durnie! — Kopnął ze złością w ławeczkę pod oknem i mówił dalej: — Tak, Pole, nie jest dobrze. Wiem, o czym myślisz, bo i ja myślę o tym samym. Myślisz, jak by to było dobrze, gdyby to Aslan umieścił dla nas wskazówkę na kamiennych płytach ruin miasta i to dopiero wtedy, jak przez nie przeszliśmy. Byłaby to wówczas jego wina, nie nasza. Jak to byłoby miło, no nie? Ale nie ma tak dobrze. Musimy się po prostu przyznać. Mieliśmy tylko cztery Znaki, które miały nas prowadzić, a nie rozpoznaliśmy pierwszych trzech.

— Chcesz powiedzieć, że to ja je miałam — powiedziała Julia. — I masz całkowitą rację. To ja psułam wszystko od samego początku. Ale niezależnie od tego... jest mi bardzo przykro i w ogóle... ale co to za wskazówka? PODE MNĄ. To chyba bez sensu.

— Nie, to ma sens — rzekł Błotosmętek. — To oznacza, że mamy szukać królewicza pod tym miastem.

— Ale jak? — zapytała Julia.

— To jest pytanie — rzekł błotowij, zacierając swoje wielkie żabie dłonie. — Jak możemy to zrobić TERAZ? Nie ulega wątpliwości, że gdybyśmy pamiętali o naszym zadaniu tam, w Zrujnowanym Mieście, znaleźlibyśmy jakąś wskazówkę, jakieś drzwiczki, wejście do podziemia, tunel, może spotkalibyśmy kogoś, kto by nam pomógł. Mógłby się pojawić (nigdy się tego nie wie) sam Aslan. W taki czy inny sposób dostalibyśmy się pod te kamienne płyty. Instrukcje Aslana zawsze działają, nie ma tu wyjątków. Ale jak to zrobić TERAZ to już zupełnie inna sprawa.

— No cóż, po prostu musimy tam wrócić — westchnęła Julia.

— Po prostu? — powtórzył Błotosmętek drwiąco. — Na początek może po prostu otworzymy te drzwi. — I wszyscy popatrzyli na drzwi komnaty, i zrozumieli, że żadne z nich nawet nie dosięgnie klamki, a już na pewno nie zdoła jej nacisnąć.

— Myślicie, że nie pozwolą nam, kiedy o to poprosimy? — zapytała Julia. Nikt na to nie odpowiedział, ale każdy pomyślał: „Przypuśćmy, że nie".

Nie był to w ogóle dobry pomysł. Błotosmętek kategorycznie sprzeciwiał się ujawnieniu olbrzymom prawdziwego celu ich wyprawy i proszeniu, by ich wypuszczono z zamku. Oczywiście dzieci nie mogły tego zrobić bez jego zgody, bo złożyły mu przecież przyrzeczenie. Wszyscy troje byli pewni, że ucieczka z zamku w nocy nie ma szans powodzenia. Gdy wieczorem znajdą się w swoich sypialniach, będą więźniami aż do rana. Mogliby, co prawda, poprosić o pozostawienie drzwi otwartych, ale zapewne wzbudziłoby to niebezpieczne podejrzenia.

— Naszą jedyną szansą — rzekł Eustachy — jest próba wymknięcia się z zamku za dnia. Czy nie byłoby najlepiej spróbować po południu, kiedy większość olbrzymów śpi po obiedzie? Można by przekraść się do kuchni i zobaczyć, czy tylne drzwi są otwarte.

— Nie jest to coś, co zwykle nazywam szansą — powiedział Błotosmętek — ale to chyba jedyna szansa, na jaką możemy liczyć.

W istocie plan Scrubba nie był tak zupełnie beznadziejny, jak może się wam wydawać. Jeśli się chce opuścić niepostrzeżenie czyjś dom, środek popołudnia jest z wielu powodów lepszą do tego porą niż środek nocy. Jest bardziej prawdopodobne, że drzwi i okna będą otwarte, a jeśli już nas złapią, zawsze można udawać, że nie zamierzało się iść daleko i nie miało się określonych planów. (Bardzo trudno byłoby przekonać o tym zarówno olbrzymy, jak i dorosłych, gdyby nas przyłapano na spuszczaniu się po linie z okna sypialni o pierwszej w nocy.)

— Musimy jednak uśpić ich czujność — rzekł Eustachy. — Musimy udawać, że bardzo nam się tu podoba i że jedyne, czego nam brak, to Święto Jesieni.

— To już jutro wieczorem — zauważył Błotosmętek. — Słyszałem, jak mówił to jeden z nich.

— Ach, tak — powiedziała Julia. — Więc musimy udawać, że jesteśmy tego okropnie ciekawi. Trzeba zadawać mnóstwo pytań. I tak już myślą, że jesteśmy kompletnymi oseskami, więc nie będzie to takie trudne.

— Beztroscy i uśmiechnięci — westchnął Błotosmętek głęboko. — Tacy właśnie musimy być: beztroscy i uśmiechnięci. Tak jakby nic nas nie obchodziło. Zauważyłem, że wy, młodzi, nie zawsze jesteście w dobrym nastroju. Musicie mnie obserwować i zachowywać się tak jak ja. Będę wesoły i beztroski. O tak — i zrobił upiorną minę. — I swawolny — tu dał beznadziejnie ponurego susa. — Prędko się wprawicie, jeśli tylko będziecie mnie uważnie obserwować. Oni już i tak mają mnie za wesołka. Ośmielę się powiedzieć, że wy dwoje na pewno myślicie, że wczoraj wieczorem byłem nieźle wstawiony, ale zapewniam was, że było to... no cóż, prawie w całości... zwykłe udawanie. Już wtedy wpadło mi do głowy, że może to być w jakiś sposób pożyteczne.

Kiedy dzieci rozmawiały później ze sobą o tych przygodach, nigdy nie miały pewności, czy to ostatnie zdanie było całkiem prawdziwe, nie wątpiły jednak, że Błotosmętek święcie wierzył w to, co mówił.

— W porządku. Naszym hasłem jest beztroska — zgodził się Eustachy. — Gdybyśmy tylko znaleźli kogoś, kto by nam otworzył drzwi! Kiedy będziemy się wygłupiać i odgrywać beztroskich, musimy jak najwięcej dowiedzieć się o zamku.

Tak się szczęśliwie złożyło, że w tym momencie drzwi się otworzyły i wielka niania wpadła do środka, wołając:

— No, moje laleczki, chcecie pójść i zobaczyć króla z całym dworem, jak wyruszają na polowanie? To tak ładnie wygląda!

Nie tracąc czasu, wybiegli za nią i z trudem opuścili się po schodach. Szczekanie psów, granie rogów i głosy olbrzymów wskazywały im drogę. Olbrzymy wybierały się na polowanie pieszo, bo w tej części świata brakuje olbrzymich koni; miało to więc być coś takiego jak angielskie polowanie z psami gończymi na smyczy. Psy również były normalnych rozmiarów. Kiedy Julia zobaczyła, że nie ma koni, była z początku bardzo zawiedziona, ponieważ nie wyobrażała sobie, by gruba królowa mogła nadążyć za psami na piechotę. A to znaczyło, że przez cały dzień pozostanie w zamku. Ale potem zobaczyła królową w lektyce, którą niosło na ramionach sześciu młodych olbrzymów. To wielkie tłuste stworzenie całe ubrane było na zielono i miało róg myśliwski u boku. Na dziedzińcu zebrało się ze dwudziestu lub trzydziestu olbrzymów, włączając w to króla; wszyscy byli podnieceni zbliżającym się polowaniem, wszyscy rozmawiali i śmiali się tak, że można było ogłuchnąć, a u ich stóp, prawie na poziomie Julii, rozbrzmiewało szczekanie i skomlenie, kłębiło się od machających ogonów, obwisłych, oślinionych mord i od nosów wpychających się dzie-

ciom w dłonie. Błotosmętek zaczynał właśnie mieć beztroski wygląd (co mogło zepsuć wszystko, gdyby ktoś zwrócił na to uwagę), kiedy Julia z najbardziej uroczym dziecinnym uśmiechem podbiegła do lektyki królowej i zawołała:

— Och, pani! Nie odjeżdżasz daleko, prawda? Wrócisz?

— Tak, moje kochanie — odpowiedziała królowa. — Wrócę wieczorem.

— Och, to DOBRZE. Cudownie! — zaszczebiotała Julia. — A będziemy mogli przyjść na świąteczną zabawę jutro wieczorem? Tak czekamy na ten wieczór! I tak nam się tu podoba! A kiedy ciebie nie będzie, możemy sobie pooglądać cały zamek? Och, pozwól nam, powiedz „tak"...

Królowa powiedziała „tak", lecz gromki śmiech wszystkich dworzan prawie zagłuszył jej głos.

ROZDZIAŁ 9

JAK ODKRYLI COŚ, O CZYM WARTO BYŁO WIEDZIEĆ

EUSTACHY I BŁOTOSMĘTEK PRZYZNAWALI PÓŹNIEJ, że Julia była tego dnia wspaniała. Gdy tylko król ze swym orszakiem wyruszyli na polowanie, zaczęła zwiedzać cały zamek i zadawać wszystkim różne pytania, czyniąc to tak niewinnie i dziecinnie, że nikt nie mógł jej posądzać o jakieś ukryte zamiary. Usta się jej nie zamykały, ale właściwie trudno powiedzieć, by mówiła: SZCZEBIOTAŁA i chichotała. Była naprawdę urocza i podbijała serca wszystkich: parobków, odźwiernych, pokojówek, dwórek i starych baronów, olbrzymów, dla których dni polowań już bezpowrotnie minęły. Pozwalała się całować i ściskać każdemu, kto miał na to ochotę, a miało wielu, litując się nad nią i nazywając „biedną dzieciaczyną", choć nikt nie wyjaśniał, z jakiego właściwie powodu. Zaprzyjaźniła się zwłaszcza z kucharzem i odkryła rzecz najważniejszą: niewielkie drzwi dla służby kuchennej pozwalające na wyjście poza zewnętrzne mury bez potrzeby przechodzenia przez dziedziniec i wielką bramę zamkową. W kuchni udawała strasznego łakomczucha i zjadała każdy kąsek, jakim ją z upodobaniem częstowano. Natomiast na górze, wśród dam dworu, dopytywała się, w co powinna być ubrana podczas świątecznej uczty, jak długo pozwolą jej siedzieć i czy będzie mogła zatańczyć z jakimś małym, bardzo małym olbrzymem. A potem (kiedy później sobie to przypominała, robiło się jej gorąco) przekrzywiała głowę w idiotyczny sposób, co dorośli — zarówno olbrzymy, jak i normalni ludzie — zawsze uważali za urocze, potrząsała lokami, wierciła się rozkosznie i paplała: „Och, jakbym chciała, żeby już był jutrzejszy wieczór! Czy myślicie, że ten czas szybko upłynie?" I wszystkie olbrzymki mówiły, że jest naprawdę cudownym maleństwem, a niektóre muskały oczy wielkimi chusteczkami, jakby miały ochotę się rozpłakać.

— One są takie rozkoszne w tym wieku — powiedziała jedna olbrzymka do drugiej. — Czy nie uważasz, że prawie ich szkoda...

Eustachy i Błotosmętek też robili, co mogli, ale w takich sprawach dziewczynki zawsze są lepsze od chłopców. Jednak nawet chłopcy robią to lepiej niż błotowije.

W porze obiadu zdarzyło się coś, co kazało im jeszcze gorliwiej niż przedtem myśleć o ucieczce z zamku Łagodnych Olbrzymów. Obiad jedli w sali tronowej, przy małym, osobnym stole przy kominku, a przy wielkim stole obiadowało z pół tuzina starszych olbrzymów. Rozmawiali tak hałaśliwie, że dzieci wkrótce przestały zwracać na nich uwagę, tak jak przestaje się słyszeć hałas na ulicy. Jedli zimną dziczyznę, danie, którego Julia nigdy przedtem nie próbowała, a które bardzo jej smakowało.

Nagle Błotosmętek odwrócił się do nich z tak pobladłą twarzą, że widać to było wyraźnie nawet pod naturalną szarością jego cery.

— Nie jedzcie już ani kęska — szepnął.

— Co się stało? — zapytały dzieci.

— Nie słyszeliście, co powiedziały te olbrzymy? Jeden powiedział: „Ten comber jest całkiem niezły, taki kruchy i delikatny". „A więc koziołek kłamał", rzekł drugi. „Dlaczego?", zdziwił się pierwszy. „Och, mówią, że kiedy go złapano, powiedział: Nie zabijajcie mnie, jestem bardzo żylasty. Nie będę wam smakować."

W pierwszej chwili Julia niezupełnie pojęła sens tego, co Błotosmętek powiedział. Ale zrozumiała natychmiast, gdy Eustachy wytrzeszczył oczy ze zgrozą i rzekł cicho:

— A więc jemy MÓWIĄCEGO jelenia!

To odkrycie nie zrobiło na nich jednakowego wrażenia. Julii, która nie znała jeszcze dobrze tego świata, żal było biednego jelonka i uważała, że zabicie go było wstrętne. Eustachy, który w tym świecie był już przedtem i wśród mówiących zwierząt miał przynajmniej jednego dobrego przyjaciela, odczuwał po prostu zgrozę, jaką można czuć w obliczu morderstwa. Ale Błotosmętkowi, który był urodzonym Narnijczykiem, zrobiło się po prostu niedobrze; przeżył taki wstrząs, jakby wam powiedziano, że jecie małe dziecko.

— Ściągnęliśmy na siebie gniew Aslana — powiedział. — Taki jest skutek zapominania o jego Znakach. Na pewno ciąży na nas przekleństwo. Gdyby tylko było to dozwolone, najlepiej byłoby teraz wziąć nóż i wbić sobie w serce.

Stopniowo i Julia zaczęła patrzeć na to z jego punktu widzenia. W każdym razie żadne z nich nie miało już ochoty na jedzenie. Posiedzieli jeszcze trochę, aby nie wzbudzić podejrzeń, i wymknęli się po cichu z sali.

Byli coraz bardziej niespokojni, zwłaszcza że zbliżała się pora, z którą wiązali swoje nadzieje na ucieczkę. Nasłuchiwali w korytarzach i czekali, aż wszystko się uspokoi. Olbrzymy w sali tronowej strasznie długo siedziały przy stole, choć obiad dawno się skończył. Jeden z nich, całkiem łysy, opowiadał jakąś długą historię. Kiedy się to wreszcie skończyło, trójka wędrowców odwiedziła kuchnię. Tutaj jednak wciąż pełno było służby zmywającej i sprzątającej po obiedzie. Wyczekiwanie na koniec całej tej krzątaniny dłużyło im się nieznośnie. Wreszcie pozostała tylko jedna stara olbrzymka. Szwendała się i szwendała po kuchennej izbie, aż zrozumieli ze zgrozą, że w ogóle nie ma zamiaru jej opuścić.

— No, moje kochaneczki — powiedziała do nich — już prawie wszystko zrobione. Jeszcze postawimy ten czajnik i zrobimy sobie filiżankę dobrej herbaty. Teraz mogę trochę odsapnąć. Bądźcie tak dobre, moje laleczki, zajrzyjcie do zmywalni i powiedzcie mi, czy tylne drzwi są otwarte.

— Tak, są otwarte — potwierdził Eustachy.

— To dobrze, to dobrze. Zawsze je zostawiam otwarte, żeby kotek, biedaczysko, mógł wejść i wyjść, kiedy ma ochotę.

Potem usiadła na jednym krześle, a na drugim położyła nogi.

— Chyba mogę sobie pozwolić na małą drzemkę

— powiedziała. — Żeby tylko te diabły nie wróciły za wcześnie z polowania.

Serca im zabiły żywiej, gdy wspomniała o drzemce, i przestały bić, gdy wspomniała o powrocie z polowania.

— Kiedy zwykle wracają? — zapytała Julia.

— Nigdy się tego nie wie — odpowiedziała olbrzymka. — No, ale idźcie sobie gdzieś, moje kochaneczki i nie przeszkadzajcie mi przez kwadransik, dobrze?

Przeszli szybko w najdalszy koniec kuchni i po minucie już chcieli wymknąć się do zmywalni, gdy olbrzymka podniosła głowę, otworzyła oczy i machnęła ręką, opędzając się od muchy.

— Wstrzymajmy się, aż będziemy pewni, że zasnęła na dobre — szepnął Eustachy — bo wszystko popsujemy. — Przycupnęli więc cicho w kącie kuchni, czekając i uważnie obserwując. Najgorsza była obawa przed niespodziewanym powrotem myśliwych. Ale i olbrzymka wciąż płatała im figle. Za każdym razem, gdy myśleli, że już naprawdę zasnęła, poruszała się gwałtownie.

„Nie zniosę tego dłużej", myślała Julia. Żeby się jakoś odprężyć, rozejrzała się dookoła. Tuż przed nią stał czysty, szeroki stół, a na nim dwie puste dzieże do ciasta i otwarta książka. Były to, oczywiście, olbrzymie dzieże i Julia mogłaby się wygodnie położyć na dnie każdej z nich. Potem wspięła się na ławę przy stole, aby obejrzeć książkę. Przeczytała:

CZERNINA. Krew prosięcia, gęsi lub kaczki, może być przyrządzana na wiele różnych sposobów.

„To zwykła książka kucharska", pomyślała Julia bez specjalnego zainteresowania i spojrzała przez ramię na olbrzymkę. Ta oczy miała zamknięte, ale wcale nie wyglądała na mocno śpiącą. Julia wróciła do książki. Hasła ułożone były alfabetycznie i kiedy popatrzyła na następne po CZERNINIE, serce jej zamarło. Bo oto napisane tam było:

CZŁOWIEK. Ten wspaniały, mały dwunóg jest od dawna ceniony ze względu na delikatność mięsa. Jest tradycyjną potrawą na Święto Jesieni, podawaną między rybą a pieczystym. Każdy człowiek...

Ale Julia nie była w stanie przeczytać więcej. Odwróciła się. Olbrzymka przerwała drzemkę, bo złapał ją atak kaszlu. Julia kiwnęła na pozostałych i pokazała im książkę. Wdrapali się na ławę i nachylili nad olbrzymią kartą. Eustachy jeszcze czytał o sposobach przyrządzania człowieka, gdy Błotosmętek wskazał w milczeniu na jedno z poprzednich haseł na tej samej stronie. A było tam napisane:

BŁOTOWIJ. Niektóre autorytety kulinarne wykluczają to zwierzę z kuchni olbrzymów ze względu na włóknistość i bagienny zapach jego mięsa. Zapachu tego można jednak w dużej mierze się pozbyć, jeśli...

Julia trąciła ich lekko. Wszyscy troje popatrzyli na olbrzymkę. Usta miała szeroko otwarte, a wydobywający się z nich dźwięk brzmiał w ich uszach jak najpiękniejsza muzyka — było to chrapanie. Teraz musieli tylko zachować zimną krew: nie iść za szybko, wstrzymać oddech, wśliznąć się do zmywalni (zmywalnie olbrzymów okropnie śmierdzą) i w końcu wyjść ostrożnie na zewnątrz w blade słońce zimowego popołudnia.

Tuż za drzwiami zaczynała się wyboista ścieżka biegnąca stromo w dół. Znajdowali się, dzięki Bogu, po właściwej stronie: widać było Zrujnowane Miasto. Po kilku minutach szli już szeroką, stromą drogą, prowadzącą od głównej bramy. Teraz byli widoczni z każdego okna po tej stronie zamku. Gdyby okien było dwa lub pięć, można by liczyć na to, że akurat nikt nie będzie przez nie wyglądać, ale było ich chyba z pięćdziesiąt! Zrozumieli też, że na drodze — i w ogóle na całym terenie między bramą a Zrujnowanym Miastem — nawet lis by się nie schował; wszędzie była tylko rzadka, sztywna trawa, otoczaki i płaskie kamienne płyty. Sytuację pogarszało i to, że teraz mieli na sobie stroje z zamku olbrzymów. Tylko na Błotosmętka nic nie pasowało, więc pozostał w swoim ubraniu. Julia była ubrana w trawiastozieloną suknię, raczej na nią za długą, i szkarłatny płaszcz oblamowany białym futrem. Scrubb miał szkarłatne rajtuzy, błękitną tunikę i płaszcz, miecz z pozłacaną rękojeścią i beret z piórami.

— Kolorów to wam nie brakuje, nie ma co — mruknął błotowij. — Nieźle to musi być widoczne w zimowy dzień, nawet z daleka. Najgorszy łucznik nie mógłby chybić, gdybyście byli w zasięgu strzału. A jeśli już mowa o łucznikach, szybko pożałujemy, że nie mamy swoich łuków, i wcale nie będę się dziwił. Założę się, że te fatałaszki są raczej cienkie, nie mam racji?

— Tak, już zmarzłam — przytaknęła Julia.

Zaledwie kilka minut temu, gdy byli w kuchni, sądziła, że wystarczy wydostać się z zamku, a już ucieczkę będzie można uznać za udaną. Teraz zrozumiała, że najgorsze jest jeszcze przed nimi.

— Spokojnie, spokojnie — powtarzał Błotosmętek. — Nie oglądajmy się. Nie idźmy za szybko. Cokolwiek się stanie, nie biegnijmy. Udawajmy, że spacerujemy, a wtedy jeśli nas ktoś zobaczy, prawdopodobnie nie będzie się tym przejmował. W chwili, w której zaczniemy wyglądać na uciekinierów, będzie już po nas.

Odległość dzieląca ich od Zrujnowanego Miasta wydawała się większa, niż można było w to uwierzyć. Krok po kroku zbliżali się jednak do celu. Wtem usłyszeli jakiś dźwięk. Błotowij i Eustachy wydali z siebie zduszone okrzyki. Julia, która nigdy czegoś takiego nie słyszała, zapytała:

— Co to było?

— Myśliwski róg — odparł Eustachy.

— Ale nie biegnijcie nawet teraz — dodał Błotosmętek. — Czekajcie na mój sygnał.

— Tym razem Julia nie mogła się powstrzymać, aby nie spojrzeć przez ramię. A tam, o jakąś milę od nich, widać już było orszak królewski powracający z polowania.

Szli dalej. Nagle usłyszeli wielką wrzawę, potem pojedyncze okrzyki i nawoływania.

— Zobaczyli nas! Biegiem! — krzyknął Błotosmętek.

Julia zebrała w ręce fałdy sukni — okropny strój do biegu — i puściła się pędem przed siebie. Teraz nie było już wątpliwości. Usłyszała ujadanie psów. Usłyszała też ryk króla:

— Za nimi! Za nimi, bo nie będziemy mieli jutro pasztetu!

Biegła ostatnia, zaplątując się w suknię, ślizgając

na luźnych kamieniach, wypluwając włosy wpadające jej do ust i czując kłucie w piersiach. Psy były coraz bliżej. Teraz musiała pokonać zbocze wzgórza, aż na kamienisty szczyt, na którym wznosił się najniższy stopień schodów. Nie miała pojęcia, co zrobią, gdy już będą na szczycie, i czy w ogóle coś to pomoże. Ale nie zastanawiała się nad tym. Była teraz ściganym zwierzęciem. Jak długo słyszy za sobą sforę, tak długo musi biec, aż opadnie z sił.

Błotowij był na czele. Dobiegł do pierwszego stopnia, zatrzymał się, popatrzył w prawo i niespodziewanie wcisnął się w jakąś małą dziurę czy szczelinę. Jego długie nogi znikające między kamieniami wyglądały zupełnie jak nogi pająka. Eustachy zawahał się, a potem zniknął za nim. Julia, bez oddechu i na chwiejących się nogach, dobiegła do tego miejsca w minutę później. Nie była to zachęcająca dziura — po prostu szeroka szpara między ziemią a ścianą kamiennego stopnia, ledwie na metr długa i niewiele ponad trzydzieści centymetrów szeroka. Trzeba było położyć się płasko twarzą do ziemi i wcisnąć do środka. Takiej rzeczy nie można, niestety, zrobić szybko. Była pewna, że zęby psa zacisną się na jej nodze, zanim zdoła się ukryć.

— Szybko! Szybko! Kamienie. Zawalić tę dziurę! — usłyszała głos Błotosmętka dochodzący z ciemności gdzieś przed nią. W środku było zupełnie czarno, tylko z otworu, przez który tu się wcisnęli, sączyło się szare światło. Jej towarzysze już ciężko pracowali. Na tle szarego światła widziała małe dłonie Eustachego i wielkie, żabie łapy błotowija poruszające się szybko, aby zasypać otwór kamieniami. Teraz i ona zrozumiała, jakie to ważne. Zaczęła zbierać wielkie kamienie i podawać je Scrubbowi. Zanim psy dobiegły do schodów, ujadając i skamląc u wejścia do dziury, otwór był już szczelnie zasypany kamieniami. Zrobiło się zupełnie ciemno.

— Właźmy głębiej! — rozległ się głos Błotosmętka.

— Złapmy się za ręce! — powiedziała Julia.

— To dobry pomysł — zgodził się Scrubb. Dość długo jednak trwało, zanim odnaleźli w ciemności swoje ręce. Po drugiej stronie kamiennej barykady słychać było głośne węszenie i skrobanie pazurami.

— Spróbujmy się wyprostować — zaproponował Eustachy. Zrobili tak i stwierdzili, że można tu stać. A potem — błotowij z ręką wyciągniętą do Scrubba i Scrubb z ręką wyciągniętą do Julii (która wiele by dała, żeby być w środku, a nie na końcu) — zaczęli iść po omacku w ciemność, unosząc wysoko nogi i sztywno je stawiając. Pod stopami czuli kamienie. Po chwili Błotosmętek natrafił na kamienną ścianę, skręcili więc w prawo i szli dalej. Takich zakrętów było odtąd sporo. Po jakimś czasie Julia zupełnie straciła orientację i nie miała pojęcia, w jakim kierunku jest wejście do podziemia.

— Zastanawiam się — dobiegł ją z ciemności głos Błotosmętka — czy składając to wszystko do kupy, nie byłoby lepiej wrócić... jeżeli to w ogóle MOŻLIWE... i uraczyć olbrzymów podczas ich świątecznej uczty, zamiast błąkać się po wnętrznościach jakiegoś wzgórza, gdzie... stawiam dziesięć do jednego... są smoki, głębokie rozpadliny, gazy, woda i... Auuu! Lecę! Ratujcie się! Ja...

Teraz wszystko potoczyło się bardzo szybko. Rozległ się dziki wrzask, suchy, grobowy grzechot kamieni i Julia poczuła, że zjeżdża, zjeżdża, beznadziejnie zjeżdża, i to zjeżdża z każdą chwilą coraz szybciej, po zboczu, które robi się coraz bardziej strome. Jego powierzchnia nie była gładka i twarda, lecz pokryta żwirem i małymi kamieniami, tak że gdyby nawet można się było podnieść, nic by to nie dało. Każdy kawałeczek tego zbocza, na którym by się postawiło nogę, usunąłby się spod niej i pociągnął w dół. Ale Julia bardziej leżała, niż stała. I im dłużej tak zjeżdżali, tym więcej strącali kamieni i ziemi, tak że ogólne zjeżdżanie wszystkiego (włączając ich samych) stawało się coraz szybsze i głośniejsze, a towarzyszyła mu coraz gęstsza i wyższa chmura pyłu. Po dzikich wrzaskach i przekleństwach Błotosmętka i Eustachego Julia poznała, że trafia w nich wiele z kamieni, które strącała swoim ciałem. Ale i tak bliska już była obłędu, nabierając pewności, że za chwilę roztrzaska się w kawałeczki na samym dnie.

A jednak tak się nie stało. Kiedy wszystko się skończyło, jej ciało przypominało jeden wielki siniak, a mokra, lepka substancja na twarzy wydawała się być krwią. Obsypana była (a częściowo i zasypana) taką masą ziemi, żwiru i większych kamieni, że nie mogła się podnieść. Ciemność była całkowita: nie robiło żadnej różnicy, czy miała oczy zamknięte, czy otwarte. Nic nie słyszała. Była to najstraszniejsza chwila w jej dotychczasowym życiu. A może jest sama, może inni... Usłyszała jednak obok siebie chrzęst poruszanych kamieni i za chwilę wszyscy troje wyjaśniali sobie drżącymi głosami, że nikt nie ma połamanych kości.

— Nigdy się nie wdrapiemy po tym świństwie z powrotem — rozległ się głos Scrubba.

— A czujecie, jak tu ciepło? — usłyszeli głos Błotosmętka. — To oznacza, że zjechaliśmy porządny kawałek. Może milę.

Zapadło milczenie. Po jakimś czasie Błotosmętek oznajmił:

— Zgubiłem hubkę z krzesiwem.

A po dłuższej przerwie Julia powiedziała:

— Okropnie zaschło mi w gardle.

Nikt nie próbował się zastanawiać, co można teraz zrobić, bo wydawało się oczywiste, że sytuacja jest zupełnie beznadziejna. I nawet nie odczuwali tego tak strasznie, jak można by się spodziewać. Byli po prostu za bardzo zmęczeni.

Siedzieli tak długo w ciszy i ciemności, aż nagle, bez najmniejszej zapowiedzi, rozległ się bardzo dziwny głos. Od razu wiedzieli, że to nie jest TEN głos, ten jedyny na całym świecie głos, o którym każde z nich w sercu marzyło: głos Aslana. Był to mroczny, płaski głos, wprost — jeśli wiecie, co chcę przez to powiedzieć — czarny jak smoła. Usłyszeli pytanie:

— Co tutaj robicie, istoty z Nadziemia?

ROZDZIAŁ 10

PODRÓŻ BEZ SŁOŃCA

KTO TU JEST? — wykrzyknęło troje wędrowców.

— Jestem Strażnikiem Marchii Podziemia i mam ze sobą stu Ziemistych pod bronią — nadeszła odpowiedź. — Powiedzcie mi natychmiast, kim jesteście i z czym przychodzicie do Królestwa Otchłani.

— Wpadliśmy tu przypadkiem... — rzekł Błotosmętek, nie bardzo mijając się z prawdą.

— Wielu wpada, lecz tylko nieliczni wracają do krajów oświetlonych słońcem — powiedział głos. — Bądźcie teraz gotowi pójść za mną do królowej Otchłani.

— Czego ona od nas chce? — zapytał Eustachy ostrożnie.

— Nie wiem — odrzekł głos. — Jeżeli taka jest jej wola, nie ma co się pytać. Trzeba ją wykonać.

Kiedy ucichły te słowa, rozległ się trzask przypominający mały wybuch i nagle zimne, szaroniebieskie światło zalało podziemie. Wszelkie nadzieje na to, że głos chełpił się bezpodstawnie, wspominając o swoich stu towarzyszach, rozwiały się natychmiast.

Byli najróżniejszych rozmiarów i kształtów, od małych gnomów, ledwo sięgających dzieciom do kolan, po okazałe postacie, wyższe od dorosłych ludzi. Wszyscy byli uzbrojeni w trójzęby, wszyscy byli upiornie bladzi i wszyscy stali nieruchomo jak posągi. Niektórzy mieli ogony, inni nie, niektórzy mieli wielkie brody, inni zaś okrągłe, gładkie twarze, wielkie jak dynie. Były tam nosy długie i spiczaste, nosy długie, lecz okrągłe jak małe trąby słonia, i nosy wielkie i mięsiste. Niektórzy mieli pojedyncze rogi wyrastające ze środka

czoła. Tylko pod jednym względem wszyscy byli do siebie podobni: każdy miał twarz tak smutną, jak tylko to jest w ogóle możliwe. Byli tak smutni, że po chwili Julia prawie zapomniała, że się ich boi. Poczuła wielką potrzebę rozchmurzenia tych ponuraków.

— Pięknie — odezwał się Błotosmętek, zacierając dłonie. — Tego właśnie potrzebowałem. Jeżeli te typy nie nauczą mnie poważnego stosunku do życia, to nie mam pojęcia, kto by to mógł zrobić. Spójrzcie na tego gościa z wąsami morsa albo na tego z...

— Wstawać — przerwał mu przywódca Ziemistych.

Nic innego nie można było zrobić. Trójka wędrowców wygramoliła się spod zwałów kamieni i ziemi i schwyciła za ręce. W takich chwilach dobrze jest czuć dotyk ręki przyjaciela. Ziemiści otoczyli ich ze wszystkich stron, krocząc cicho na wielkich, miękkich stopach. Niektóre z tych stóp miały po pięć palców, inne po sześć, a jeszcze inne w ogóle ich nie miały.

— Maszerować — rozkazał Strażnik.

Zimne światło pochodziło z wielkiej kuli na końcu żerdzi, którą niósł na czele pochodu najwyższy z gnomów. W ponurym blasku zobaczyli teraz, że są w naturalnej pieczarze; ściany i sklepienie były powybrzuszane, poskręcane i ponacinane w tysiące fantastycznych kształtów, a kamienna posadzka stopniowo się obniżała. Dla Julii było to o wiele gorsze niż dla pozostałych, ponieważ nie znosiła ciemnych miejsc pod ziemią. Po jakimś czasie pieczara znacznie się obniżyła i zwęziła, Ziemisty z latarnią stanął z boku, a gnomy pochyliły się nisko (nie wszystkie musiały to zresztą zrobić) i jeden po drugim zaczęły się wciskać w jakąś małą, czarną szczelinę. W tym momencie Julia poczuła, że dłużej tego nie wytrzyma.

— Nie mogę tam wejść, nie mogę, nie mogę! — wyrzuciła z siebie.

Ziemiści nic nie powiedzieli, tylko opuścili trójzęby i wycelowali w Julię.

— Spokojnie, Pole — rzekł Błotosmętek. — Te wielkie typy nie właziłyby tam, gdyby w środku nie było szerzej i wyżej. No i jest jedna dobra rzecz w całym tym podziemnym interesie: nie będzie nigdy padało.

— Och, ty tego nie zrozumiesz. Ja nie mogę — zawodziła Julia.

— Pomyśl, jak JA czułem się tam, na skraju urwiska — powiedział Eustachy. — Idź pierwszy, Błotosmętku, ja włażę na końcu.

— Słusznie — rzekł błotowij, klękając na skalistym podłożu. — Złap mnie za piętę, Pole, a Scrubb niech złapie za twoją. Będzie doskonale!

— Doskonale! — wykrztusiła Julia. Ale i ona uklękła, i za chwilę wszyscy wcisnęli się na czworakach w ciemną dziurę. Było to okropne miejsce. Trzeba było się czołgać w ciemności z nosem przy ziemi, a wydawało się, że trwa to z pół godziny, choć w rzeczywistości mogło trwać pięć minut. Było gorąco. Julia czuła, że się dusi. Ale w końcu zobaczyli przed sobą słabe światło, tunel powiększył się i wyleźli z niego, zgrzani, brudni i dygocący ze strachu, do jaskini tak wielkiej, że trudno było w ogóle nazwać ją jaskinią.

Była pełna mglistej, sennej poświaty, tak że dziwna latarnia Ziemistych przestała być potrzebna. Miękki grunt pokrywało coś w rodzaju mchu, z którego wyrastały dziwne kształty, wysokie i rozgałęzione jak drzewa, lecz blade i zwiotczałe jak grzyby. Rosły zbyt daleko od siebie, by tworzyć las — przypominało to raczej park. To właśnie z nich — i z mchu — wydawało się sączyć owo zielonkawoszare światło, nie dość jednak silne, aby oświetlić sklepienie jaskini, zapewne bardzo wysokiej. Było to bardzo smutne miejsce, lecz ów smutek przesycał dziwny spokój, jak cicha muzyka.

Czekała ich teraz wędrówka przez ten łagodny i uśpiony podziemny kraj. Mijali całe tuziny dziwnych zwierząt nieruchomo leżących na mchu; trudno było powiedzieć, czy są martwe, czy tylko uśpione. Większość przypominała smoki lub nietoperze. Nawet Błotosmętek nie potrafił ich nazwać.

— Czy one tu żyją? — zapytał Eustachy Strażnika. Gnom wydawał się zaskoczony, że ktoś do niego mówi, ale odpowiedział:

— Nie. Wszystkie znalazły tu drogę przez rozpadliny i jaskinie. Z Nadziemia w Królestwo Otchłani. Wielu przychodzi, lecz tylko nieliczni powracają do krajów oświetlonych słońcem. Mówią, że wszystkie obudzą się na koniec świata.

Kiedy to powiedział, zacisnął usta jak wieko kufra. Dzieci szły dalej w przejmującej ciszy wielkiej jaskini i czuły, że nie ośmielą się już wypowiedzieć ani słowa. Bose stopy gnomów, stąpające po głębokim mchu, nie czyniły najlżejszego hałasu. Nie było wiatru, nie było ptaków, nie było szmeru wody. Nie słychać było nawet oddechów Ziemistych.

Po przejściu dobrych kilku mil dotarli do skalnej ściany, przez którą nisko sklepiony korytarz prowadził do innej jaskini. Nie był jednak tak niski i ciasny jak poprzedni i Julia przeszła go bez schylania głowy. Znaleźli się teraz w mniejszej jaskini, długiej i wąskiej, kształtu i rozmiarów katedry. Prawie całą jej przestrzeń zajmowało ciało olbrzymiego śpiącego mężczyzny. Był o wiele większy niż jakikolwiek olbrzym, a jego twarz była naprawdę szlachetna i piękna. Jego pierś wznosiła się i opadała łagodnie pod śnieżną brodą sięgającą pasa. Skąpany był w czystym, srebrnym świetle (nikt nie zauważył, skąd ono pochodziło).

— Kto to jest? — zapytał Błotosmętek. Już tak długo nikt nic nie mówił, że Julię zdumiała jego odwaga i opanowanie.

— To stary Ojciec Czas, który był kiedyś królem w Nadziemiu — odrzekł Strażnik. — A teraz zapadł się w Królestwo Otchłani i leży tutaj, śniąc o wszystkim, co dzieje się w górnym świecie. Wielu się zapada, lecz tylko nieliczni wracają do krajów oświetlonych słońcem. Mówią, że obudzi się na koniec świata.

Z tej jaskini przeszli do innej, a potem do jeszcze innej, znowu do następnej, i tak to trwało, aż Julia pogubiła się w ich liczeniu, a oni wciąż szli coraz głębiej, a każda jaskinia była niższa od poprzedniej. Na samą myśl o ciężarze i grubości ziemi nad głową robiło się duszno. W końcu doszli do miejsca, w którym Strażnik rozkazał znowu zapalić ową ponurą latarnię. Znaleźli się teraz w jaskini tak szerokiej i ciemnej, że nie widzieli w niej nic, prócz wąskiego pasma bladego piasku biegnącego wzdłuż nieruchomej wody. A tam, przy niewielkim nabrzeżu, stała barka bez masztu i żagli, lecz z wieloma wiosłami. Wprowadzono ich na pokład i kazano usiąść na ławeczce biegnącej wzdłuż wysokiej burty na dziobie.

— Chciałbym wiedzieć tylko jedno — odezwał się Błotosmętek — czy kiedykolwiek ktoś z naszego świata, znaczy się z góry, odbywał już przed nami taką podróż?

— Wielu wsiadało na barkę z bladego wybrzeża — zaczął Strażnik — lecz...

— Tak, wiem — przerwał mu Błotosmętek — „lecz tylko nieliczni powrócili do krajów oświetlonych słońcem." Nie musisz tego wciąż powtarzać. Czy należysz do takich, co mają w głowie tylko jedną myśl?

Dzieci przytuliły się do Błotosmętka. Tam, na powierzchni ziemi, uważały go za czarnowidza i jęczyduszę, lecz tutaj okazał się jedyną ostoją i pociechą. Teraz zawieszono pośrodku bladą latarnię, Ziemiści chwycili za wiosła i barka ruszyła. Światło latarni nie padało daleko. Patrząc przed siebie, nie widzieli nic prócz gładkiej, ciemnej wody, rozpływającej się w absolutną czerń.

— Och, co się z nami stanie? — powiedziała Julia z rozpaczą.

— Nie trać ducha, Pole — rzekł Błotosmętek. — Musisz pamiętać o jednym. Znowu jesteśmy na dobrej drodze. Mieliśmy się dostać pod Zrujnowane Miasto i JESTEŚMY pod nim. Znowu postępujemy zgodnie ze wskazówkami.

Dano im teraz coś do jedzenia: jakieś płaskie, sflaczałe ciastka, bez żadnego konkretnego smaku. Potem zapadli powoli w sen, lecz kiedy się obudzili, wszystko było wciąż takie samo: wiosłujące miarowo gnomy, sunąca cicho barka, nieprzenikniona ciemność przed nimi. Ile razy tak zasypiali i budzili się, jedli i znowu spali, nikt już nie wiedział. A najgorsze było to, że zaczynali czuć się tak, jakby zawsze żyli na tej barce, w ponurej ciemności, zastanawiając się, czy słońce, błękitne niebo, wiatr i ptaki nie były tylko snem.

Zamarły już w nich wszelkie nadzieje, a nawet lęk przed czymkolwiek, gdy w końcu zobaczyli przed sobą światła, ponure światła podobne do latarni na środku pokładu. Wtem, zupełnie niespodzianie, jedno z tych świateł przybliżyło się i ujrzeli inną barkę, a potem spotkali jeszcze kilka podobnych. A później, wypatrując oczy aż do bólu, zobaczyli, że światła przed nimi płoną w czymś, co wygląda jak nabrzeże, mury, wieże, poruszające się tłumy. Wciąż jednak nic nie było słychać.

— O holender! — zawołał Scrubb. — To jakieś miasto!

I wkrótce zorientowali się, że miał rację.

Było to jednak bardzo dziwne miasto. Światła były tak nieliczne i tak rozproszone, że w naszym świecie mogłyby z trudem oznaczać wiejskie domki. A jednak małe kręgi światła pozwalały dostrzec blade fragmenty jakiegoś wielkiego morskiego portu. W jednym miejscu zobaczyli zbiorowisko wyładowywanych i załadowywanych statków, w innym bele jakiegoś materiału i magazyny, w trzecim mury i kolumny, pozwalające domyślać się wielkich pałaców i świątyń, a wszędzie, gdzie tylko padało światło, widać było niezliczone tłumy Ziemistych, przepychających się między sobą i spieszących za swoimi sprawami po wąskich uliczkach, szerokich bulwarach lub wielkich kondygnacjach schodów. W miarę jak barka przybliżała się do miasta, napływał stamtąd cichy, mruczący szmer owego ruchliwego tłumu, jednostajny szmer, z którego nie wybijał się żaden pojedynczy krzyk, żadna piosenka, odgłos dzwonu lub turkot kół. Miasto było tak ciche i prawie tak ciemne jak wnętrze mrowiska.

W końcu barka przybiła do nabrzeża. Rzucono cumy. Troje wędrowców wyprowadzono na brzeg, a potem powiedziono w głąb miasta. Zanurzyli się w tłum Ziemistych, wśród których trudno było dostrzec dwie podobne do siebie istoty. Ponure światło od czasu do czasu wydobywało z ciemności ich smutne, groteskowe twarze, gdy na zatłoczonych ulicach ocierali się o nich ramionami. Ale żadna z tych istot nie okazywała najmniejszego zainteresowania przybyszami. Każdy z tych ponurych gnomów wydawał się zajęty wyłącznie swoimi sprawami, choć Julii ani razu nie udało się zauważyć, co to były za sprawy. Ruch, przepychanie się, pośpiech i miękkie pad-pad-pad bosych łap nie miały końca.

Doszli w końcu do budowli, która wyglądała na olbrzymi zamek. Tylko w niewielu oknach paliło się światło. Poprowadzono ich przez bramę i dziedziniec, a potem przez wiele schodów, aż znaleźli się w jakiejś wielkiej, mrocznej komnacie. W jednym rogu było zwieńczone łukiem wejście, z którego — cóż za radość! — sączyło się zupełnie inne światło: swojskie, żółtawe, ciepłe światło przyzwoitej ludzkiej lampy. Oświetlało ono początek schodów, pnących się stromo do góry między kamiennymi ścianami. Lampa była umieszczona na ich szczycie. Dwóch Ziemistych stało nieruchomo przy wejściu — po jednym z każdej strony — pełniąc najwyraźniej funkcję wartowników.

Strażnik podszedł do nich i wypowiedział zdanie, które zabrzmiało jak hasło:

— Wielu spada do Podziemia.

— Lecz tylko nieliczni wracają do krajów oświetlonych słońcem — padła odpowiedź, jak odzew. Potem wszyscy trzej nachylili się do siebie i rozmawiali po cichu. W końcu jeden z wartowników podniósł głos:

— Mówię ci, że jej królewska mość opuściła zamek w jakiejś ważnej sprawie. Najlepiej będzie zamknąć tych obcych w ścisłym areszcie do jej powrotu. Tylko nieliczni wracają do krajów oświetlonych słońcem.

W tym momencie wymiana zdań została przerwana przez coś, co Julii wydało się najmilszym dźwiękiem na świecie. Rozległ się on ze szczytu schodów, a był to czysty, dźwięczny, najprawdziwszy ludzki głos, głos młodzieńca:

— Co za hałasy tam wyprawiacie, Mallugutherum? Ejże, widzę jakichś Nadziemian! Przyprowadź ich do mnie, i to natychmiast!

— Jeżeli wasza wysokość raczy sobie przypomnieć... — zaczął Mallugutherum, ale głos przerwał mu ostro:

— Moja wysokość raczy przypomnieć tobie, że

masz mi być posłuszny, stary gdero. Przyprowadź ich na górę.

Mallugutherum potrząsnął głową, skinął na troje wędrowców i zaczął się wspinać po schodach.

Z każdym stopniem robiło się coraz jaśniej. Na ścianach wisiały bogate tkaniny. Lampa płonęła złotym blaskiem, przenikającym przez cienkie zasłony na szczycie schodów. Ziemisty rozchylił zasłony i stanął z boku. Troje wędrowców weszło do środka. Znajdowali się w pięknej komnacie, obwieszonej gobelinami, z kominkiem, w którym na dobrze wyczyszczonym palenisku płonął ogień, ze stołem, na którym połyskiwały kryształowe kielichy i czerwieniło się wino. Na ich widok zza stołu podniósł się przystojny młodzieniec o jasnych włosach. Twarz miał śmiałą i uprzejmą zarazem, a jednak było w niej coś niezdrowego. Ubrany był na czarno i w ogóle trochę przypominał Hamleta.

— Witajcie, Nadziemianie! — powiedział. — Lecz cóż widzę? Pozwólcie, że chwilę pomyślę. Och, błagam o litość! Już was kiedyś widziałem, was, szlachetne dzieci, i jego, waszego dziwnego opiekuna. Czy to nie wy troje spotkaliście mnie przy moście na granicy Ettinsmooru, gdy jechałem konno u boku mojej pani?

— Ach... więc to ty byłeś owym czarnym rycerzem, który nie odezwał się ani jednym słowem? — zawołała Julia.

— A ta dama była królową Podziemia? — zapytał Błotosmętek nie bardzo przyjaznym głosem. A Eustachy, który myślał o tym samym, wybuchnął:

— Bo jeśli tak, to myślę, że postąpiła nikczemnie, posyłając nas do zamku olbrzymów, którzy mieli zamiar nas zjeść. Chciałbym wiedzieć, co takiego jej zrobiliśmy, aby zasłużyć na tak podłe traktowanie?

— Że niby co? — powiedział Czarny Rycerz, marszcząc brwi. — Gdybyś, chłopcze, nie był tak młody, musielibyśmy natychmiast walczyć na śmierć i życie po tym, co powiedziałeś. Nie zniosę słów obrażających honor mojej pani. Jednego możesz być pewien: cokolwiek wam powiedziała, zrobiła to w dobrej intencji. Nie znasz jej. Ona jest bukietem wszelkich cnót, takich jak prawda, litość, stałość, szlachetność, odwaga i cała reszta. Mówię, bo wiem. Jej szlachetność wobec mnie, który nie jestem w stanie jej się odwdzięczyć, zasługuje na osobną opowieść. Ale i wy ją poznacie i zobaczycie, że godna jest uwielbienia. Tymczasem powiedzcie mi, co was sprowadza do Królestwa Otchłani?

I zanim Błotosmętek był w stanie ją powstrzymać, Julia zaszczebiotała:

— Próbujemy odnaleźć królewicza Riliana z Narnii. — Dopiero kiedy to powiedziała, zdała sobie sprawę ze strasznego ryzyka, na jakie ich naraziła: mogą przecież być wśród wrogów. Ale Rycerz nie okazał większego zainteresowania.

— Rilian? Narnia? — powtórzył lekceważąco. — Narnia? Gdzie leży ten kraj? Nigdy o nim nie słyszałem. Musi leżeć tysiące mil od tych części Nadziemia, które znam. Dziwna to jednak fantazja zawiodła was do królestwa mojej pani na poszukiwanie tego... jak go nazywacie? Bilian? Trilian?... Zaprawdę, według mojego rozeznania, a wierzcie mi, jest niemałe, nie ma tu takiego człowieka.

I roześmiał się bardzo głośno, a Julia pomyślała: „Czyż przypadkiem nie TO właśnie widać na jego twarzy? Czy on nie jest trochę szalony?"

— Kazano nam szukać wskazówki w Zrujnowanym Mieście — rzekł Eustachy — i zobaczyliśmy słowa PODE MNĄ.

Rycerz wybuchnął jeszcze większym śmiechem.

— Oszukaliście się jeszcze bardziej — powiedział. — Te słowa nie mają nic wspólnego z waszym poszukiwaniem. Gdybyście zapytali moją panią, udzieliłaby wam lepszej rady. To wszystko, co pozostało z dłuższego napisu, który w starożytnych czasach, jak moja pani dobrze pamięta, głosił:

Chociaż teraz bez tronu i pod ziemią ciemną,
Gdy żyłem, całą Ziemię miałem PODE MNĄ.

— Wynika z tego jasno — ciągnął Rycerz — że jakiś wielki król starożytnych olbrzymów, który leży tam pochowany, kazał wyciosać te słowa w kamieniu nad swym grobowcem, jednakże od tego czasu niektóre kamienie się wykruszyły, inne zabrano na nowe budowle, a część liter wypełniła się piaskiem i gruzem, aż zostały widoczne tylko te dwa słowa. Czy to nie najlepszy dowcip na świecie pomyśleć, że te słowa są zostawioną dla was wskazówką?

Eustachy i Julia poczuli się, jakby wylano na nich kubeł zimnej wody, ponieważ wszystko wskazywało, że rzeczywiście te słowa nie miały nic wspólnego z ich zadaniem i że znaleźli się pod ziemią zupełnie przypadkowo.

— Nie zwracajcie na to uwagi — rzekł Błotosmętek. — NIE MA takich przypadków. Naszym przewodnikiem jest Aslan. On był tutaj, gdy król olbrzymów kazał wyciosać te słowa, i już wtedy wiedział wszystko, co może z tego wyniknąć, włączając TO.

— Ten wasz przewodnik musi być wiekowym staruszkiem, moi przyjaciele — powiedział Rycerz, ponownie wybuchając nienaturalnym śmiechem.

Julię zaczęło to trochę denerwować.

— A mnie się wydaje — powiedział Błotosmętek — że ta twoja pani musi być równie długowieczna, skoro pamięta treść całego napisu.

— Bardzo trafna uwaga, Żabia Buzio — rzekł Rycerz, klepiąc Błotosmętka po ramieniu i śmiejąc się znowu. — Trafiłeś w samo sedno. Pochodzi z boskiej rasy i nie zna starości ani śmierci. Jestem tym bardziej wdzięczny za jej nieskończoną szczodrobliwość, jaką okazała takiemu biednemu, śmiertelnemu nieszczęśnikowi jak ja. Bo musicie wiedzieć, szlachetna panienko i wy, panowie, że cierpię na najdziwniejsze schorzenie i nikt prócz królowej nie miałby dla mnie tyle wyrozumiałości. Powiedziałem „wyrozumiałości"? O, trzeba by rzec o wiele więcej. Ona obiecała mi wielkie królestwa w Nadziemiu i swoją najłaskawszą rękę, gdy już będę królem. Ale to zbyt długa opowieść, podczas gdy wy stoicie tu głodni i zmęczeni. Hej, jest tam który? Przynieście wina i nadziemne jedzenie dla moich gości. Raczcie usiąść, szlachetni panowie. Ty, piękna dzieweczko, usiądź na tym krześle. Wszystko wam opowiem.

Rozdział 11

W CIEMNYM ZAMKU

Kiedy wniesiono kolację (składającą się z gołębi w cieście, zimnej szynki, sałaty i ciastek), a wszyscy przysunęli krzesła do stołu i zaczęli jeść, Rycerz mówił dalej.

— Musicie zrozumieć, drodzy przyjaciele, że nie wiem o sobie nic, nie wiem, kim jestem i skąd przybyłem do Ciemnego Świata. Nie pamiętam czasów, w których nie mieszkałem na dworze tej niebiańskiej królowej, ale myślę, że to ona wyzwoliła mnie spod mocy jakiegoś złego czaru i w swojej wielkiej szczodrobliwości przywiodła tutaj. (Szlachetny żabonogu, twoja czara jest pusta. Pozwól, że ją napełnię.) A wydaje mi się to tym bardziej prawdopodobne, że nawet teraz ciąży na mnie jakieś zaklęcie, z którego tylko moja pani może mnie uwolnić. Każdej nocy nadchodzi godzina, w której moja świadomość zmienia się straszliwie, a wraz z nią zmienia się też moje ciało. Najpierw ogarnia mnie tak dzika, nieokiełznana wściekłość, że mógłbym rzucić się na swoich najlepszych przyjaciół, by ich zabić, gdybym nie był związany. A wkrótce potem zamieniam się w wielkiego węża, głodnego, zdziczałego i jadowitego. (Panie, racz wziąć jeszcze jeden kawałek piersi gołębia.) A więc powiedziano mi o tym i nie mam powodu, by w to nie wierzyć, bo i moja pani to potwierdziła. Sam nie dowiedziałbym się o tym nigdy, bo kiedy moja godzina mija, budzę się, nie pamiętając niczego, w swoim zwykłym ciele i przy zdrowych zmysłach, jestem tylko nieco osłabiony. (Szlachetna panienko, zjedz jedno z tych miodowych ciasteczek przywiezionych dla mnie z jakiegoś barbarzyńskiego kraju na dalekim południu.) Dzięki swym niezwykłym zdolnościom jej królewska mość wie, że to zaklęcie straci swą moc, jak tylko uczyni mnie królem jakiegoś kraju w Nadziemiu i włoży jego koronę na moją głowę. Ten kraj został już wybrany, podobnie jak miejsce, w którym wyjdziemy na powierzchnię ziemi. Dzień i noc jej Ziemiści kopią tunel prowadzący do tego miejsca, a dotarli już tak daleko, że obecnie zaledwie kilka metrów dzieli ich od trawy, po której spacerują sobie mieszkańcy tego kraju. Wkrótce spełni się ich przeznaczenie. Dziś w nocy sama królowa jest wśród kopiących, a ja oczekuję od niej wezwania. Wówczas cienka warstwa dzieląca mnie od mojego królestwa zostanie przełamana, a ja sam, z moją panią jako przewodnikiem i tysiącami Ziemistych za mną, wyjadę na koniu w pełnej zbroi, spadnę jak jastrząb na nie spodziewających się niczego wrogów, zabiję ich wodzów, zrównam z ziemią ich warownie i w dwadzieścia cztery godziny zostanę koronowany.

— ICH los nie będzie zbyt przyjemny — zauważył Scrubb.

— Podziwiam twój bystry umysł, młodzieńcze!

— zawołał Rycerz. — Na honor, ja sam nigdy o tym przedtem nie pomyślałem. Rozumiem, o co ci chodzi. — Przez chwilę sprawiał wrażenie lekko, bardzo lekko zaniepokojonego, ale wkrótce twarz mu się rozjaśniła i wybuchnął swoim przeraźliwym śmiechem. — Ale wstydź się swojej powagi! Czyż to nie najbardziej komiczna rzecz pod słońcem, wyobrazić so-

bie, jak spokojnie zajmują się swoimi sprawami i nawet im się nie śni, że tuż pod ich spokojnymi polami i podłogami znajduje się wielka armia gotowa do wyskoczenia z ziemi i spadnięcia na nich jak fontanna? A oni niczego nie podejrzewają! Założę się, że jak już im minie gorycz porażki, będą śmiać się do łez, gdy o tym pomyślą.

— Nie sądzę, aby to w ogóle było zabawne — powiedziała Julia. — Uważam, że będziesz przeklętym tyranem.

— Co? — zawołał Rycerz, wciąż śmiejąc się i klepiąc wściekle po głowie. — Czyżby nasza śliczna dzieweczka była politykiem? Nie lękaj się, kochanie. Rządząc tym krajem, będę się we wszystkim radził mojej pani, która i wówczas pozostanie moją królową. Jej słowo będzie moim prawem, tak jak moje słowo będzie prawem dla ludu tego kraju, który podbijemy.

— Tam, skąd pochodzę — powiedziała Julia, której szalony Rycerz coraz mniej się podobał — nie poważa się mężczyzn wodzonych za nos przez swoje żony.

— Będziesz myślała inaczej, kiedy sama wyjdziesz za mąż, zapewniam cię — rzekł Rycerz, najwidocznej ubawiony tą wymianą zdań. — A jeśli chodzi o moją panią, rzecz się ma zupełnie inaczej. Rad jestem, że mogę być posłuszny każdemu jej słowu, jej, która już uratowała mnie od tylu niebezpieczeństw. Żadna matka nie opiekuje się swym dzieckiem tak czule, jak czyni to królowa w swej wielkiej wobec mnie łaskawości. Pomyśl tylko, ma na głowie tyle spraw i obowiązków, a jednak zabiera mnie wciąż i wciąż na konne wyprawy po Nadziemiu tylko po to, aby moje oczy przyzwyczaiły się do blasku słońca. Jadę wtedy w pełnej zbroi, z opuszczoną przyłbicą i nie wolno mi do nikogo mówić, aby nikt nie zobaczył mojej twarzy i nie usłyszał mojego głosu. Dzięki sztuce magii dowiedziała się bowiem, że mogłoby to przeszkodzić uwolnieniu mnie spod bolesnego ciężaru owego zaklęcia. Czyż nie jest to pani godna największej czci?

— Wygląda na bardzo miłą damę, nie ma co — rzekł Błotosmętek tonem, który świadczył, że jest zupełnie odmiennego zdania.

Zanim skończyli kolację, mieli już zupełnie dosyć obłędnej gadaniny Rycerza. Błotosmętek myślał: „Zastanawiam się, co za grę prowadzi ta wiedźma z tym młodym głupcem". Eustachy myślał: „On jest wielkim dzieckiem, naprawdę; trzyma się spódnicy tej kobiety; to jakiś okropny lizus". A Julia myślała: „To najgłupszy, najbardziej zarozumiały i najbardziej samolubny prosiak, jakiego spotkałam od bardzo długiego czasu". Ale kiedy skończyli się posilać, nastrój Rycerza uległ zmianie. Już więcej się nie śmiał.

— Przyjaciele — rzekł — zbliża się moja godzina. Wstydziłbym się wam pokazać w tym stanie, a jednocześnie lękam się zostać sam. Zaraz przyjdą i przywiążą mi ręce i nogi do tego krzesła. Tak, niestety, musi być, bo w mojej furii, jak mówią, zniszczyłbym wszystko, czego bym dosięgnął.

— Chwileczkę — powiedział Eustachy. — Okropnie mi przykro z powodu tego przekleństwa, które ciąży nad tobą, ale co zrobią z NAMI, kiedy przyjdą cię związać? Mówili o wsadzeniu nas do więzienia. A tak się składa, że my bardzo nie lubimy tych wszystkich ciemnych miejsc. Wolelibyśmy zostać tutaj, aż... poczujesz się... lepiej... jeśli nie masz nic przeciwko temu.

— To dobra myśl — zgodził się Rycerz. — Co prawda jest taki zwyczaj, że nikt prócz królowej nie zostaje ze mną w mej złej godzinie. Tak czule dba o mój honor, że nie chce dopuścić, aby inne uszy prócz jej usłyszały słowa, jakie wypowiadam w szaleństwie. Trudno byłoby mi wytłumaczyć moim służącym, że macie ze mną zostać. Chyba już słyszę ich ciche kroki na schodach. Przejdźcie przez te drzwi, prowadzą do moich komnat. Czekajcie tam na moje przyjście, kiedy mnie już rozwiążą, albo też wróćcie tu za jakiś czas i bądźcie przy mnie, gdy owładnie mną szał.

Usłuchali jego rady i wyszli z komnaty przez drzwi, które aż do tej chwili pozostawały zamknięte. Ku ich radości za drzwiami nie było ciemności, lecz oświetlony korytarz. Uchylali różne drzwi i znaleźli (a bardzo tego potrzebowali) wodę do mycia, a nawet jakieś lustro.

— Nawet mu nie przyszło do głowy, żeby nam zaproponować umycie się przed kolacją — zauważyła Julia, wycierając twarz. — Samolubny, zapatrzony w siebie prosiak.

— Wracamy tam, żeby zobaczyć działanie zaklęcia, czy zostajemy tutaj? — zapytał Eustachy.

— Głosuję za tym, aby tu pozostać — powiedziała Julia. — Wcale nie mam ochoty tego oglądać. — Ale w głębi duszy była trochę ciekawa.

— Nie, wracajmy — rzekł Błotosmętek. — Możemy się czegoś dowiedzieć, a każda nowa informacja jest dla nas cenna. Jestem pewien, że ta królowa jest czarownicą i naszym wrogiem. A Ziemiści mogą się na nas rzucić, jak nas tu zastaną. W tym kraju pachnie zagrożeniem, kłamstwem, czarną magią i zdradą. Nigdy jeszcze nie czułem czegoś takiego tak mocno. Musimy mieć oczy i uszy otwarte.

Poszli więc z powrotem korytarzem i powoli otworzyli drzwi.

— Wszystko w porządku — oznajmił Scrubb, mając na myśli brak Ziemistych. Weszli więc do komnaty, w której jedli kolację.

Główne drzwi były teraz zamknięte, zakrywając kotary, między którymi przeszli za pierwszym razem. Rycerz siedział w dziwnym, srebrnym krześle, do którego był przywiązany w kostkach u nóg, w kolanach, łokciach, przegubach rąk i w pasie. Czoło miał spocone, a twarz pełną udręki.

— Wejdźcie, wejdźcie, przyjaciele — powiedział, rzucając im szybkie spojrzenie. — Atak jeszcze się nie zaczął. Zachowujcie się cicho, bo powiedziałem temu wścibskiemu szambelanowi, że poszliście już spać. Teraz... teraz czuję, że nadchodzi. Szybko! Słuchajcie mnie, póki jeszcze władam sobą. Może się zdarzyć, że będę próbował prośbami i groźbami wymóc na was, abyście mnie rozwiązali. Mówią, że tak się dzieje. Będę was wzywał do tego w imię wszystkiego, co najdroższe i najstraszniejsze. Niech wasze serca będą nieczułe, a uszy zamknięte. Dopóki krępują mnie więzy, jesteście bezpieczni. Wystarczy jednak, że raz powstanę z krzesła, a wówczas najpierw nadejdzie atak furii, a potem — tu wzdrygnął się — potem zamienię się w obmierzłego węża.

— Nie ma obawy, abyśmy cię rozwiązali — rzekł Błotosmętek. — Nie mamy wcale ochoty na spotkanie ani z dzikimi ludźmi, ani z wężami.

— Na pewno — powiedzieli jednocześnie Eustachy i Julia.

— Niemniej — szepnął do nich Błotosmętek — nie bądźmy zbyt pewni siebie. Bądźmy czujni. Wiecie przecież, że jak dotąd nie mamy się czym pochwalić. A on na pewno będzie bardzo chytry, jak to się zacznie, i wcale bym się nie dziwił. Czy możemy na sobie polegać? Czy przyrzekamy wszyscy, że cokolwiek powie, nie dotkniemy tych więzów? COKOLWIEK powie, rozumiecie?

— No chyba! — odpowiedział Eustachy.

— Za nic na świecie nie zmienię zdania — powiedziała Julia.

— Sza! Coś się dzieje — szepnął Błotosmętek.

Rycerz jęczał. Jego twarz była szara jak popiół. Może z litości dla niego, a może z jakiejś innej przyczyny Julia pomyślała, że teraz wygląda o wiele mniej odrażająco niż przedtem.

— Ach! — zawodził. — Czary, czary... ciężka, splątana, zimna, lepka pajęczyna Czarnej Magii. Pogrzebany żywcem. Wciągnięty pod ziemię, w tę lepką ciemność... Ile to już lat?... Czy żyję w tej dziurze dziesięć, czy tysiąc lat? Wszędzie wokół mnie ludzie-larwy. Och, zmiłujcie się! Pozwólcie mi odejść, pozwólcie mi wrócić. Chciałbym poczuć wiatr i zobaczyć niebo. Jest tu gdzieś mała sadzawka. Kiedy się w nią spojrzy, widać wszystkie drzewa rosnące do góry nogami w wodzie, wszystkie zielone, a pod nimi, głęboko, głęboko... błękitne niebo.

Powiedział to bardzo cichym, rwącym się głosem, lecz nagle otworzył szeroko oczy, utkwił w nich spojrzenie i wyrzekł głośno i wyraźnie następujące słowa:

— Prędko! Teraz jestem zdrowy. Co noc jestem zdrowy. Gdybym tylko mógł opuścić to zaklęte krzesło, byłbym już zdrowy na zawsze. Byłbym zdrowym człowiekiem. Ale co noc przywiązują mnie do niego i co noc moja szansa mija. Lecz wy nie jesteście moimi wrogami! Nie jestem WASZYM więźniem. Prędko! Przetnijcie te więzy!

— Nie ruszać się! Spokojnie! — ostrzegł Błotosmętek dzieci.

— Błagam was, wysłuchajcie mnie — prosił Rycerz, starając się zachować spokój. — Czy powiedziano wam, że jeśli zostanę uwolniony z tego krzesła, to zabiję was i zamienię się w węża? Widzę po waszych twarzach, że tak wam powiedziano. To wszystko kłamstwa. Właśnie w tej godzinie, i tylko w tej, powracają mi wszystkie zmysły, a w ciągu reszty nocy i dnia jestem zaczarowany. Przecież nie jesteście Ziemistymi czy czarownicami. Dlaczego mielibyście stać po ich

stronie? Zaklinam was, na wasz honor, przetnijcie te więzy!

— Spokojnie! Spokojnie! Spokojnie! — ostrzegło się nawzajem troje wędrowców.

— Och, macie serca z kamienia! — zawołał Rycerz. — Wierzcie mi, patrzycie na nieszczęśnika, który przecierpiał więcej, niż mogłoby wytrzymać serce śmiertelnika. Cóż złego wam uczyniłem, że stajecie po stronie moich wrogów, aby mnie więzić w takim utrapieniu? A minuty tak szybko mijają! TERAZ możecie mnie uratować. Kiedy minie ta godzina, będę znowu bez rozumu, będę zabawką i pieskiem salonowym, nie, raczej pionkiem i narzędziem w rękach najbardziej złej, diabelskiej czarownicy, jaka kiedykolwiek pragnęła zguby ludzi. I to w tę noc, w tę jedyną noc, kiedy jej nie ma! Niszczycie szansę, która może już nigdy nie wrócić!

— To okropne — powiedziała Julia. — Po cośmy tu wracali. Trzeba było tam czekać, aż to się wszystko skończy.

— Spokojnie! — zawołał Błotosmętek.

Jęk więźnia przeszedł teraz w rozpaczliwy krzyk.

— Pozwólcie mi iść! Dajcie mi mój miecz! Mój miecz! Gdy tylko będę wolny, wezmę taką pomstę na Ziemistych, że Podziemie będzie o tym opowiadało przez tysiąc lat!

— Teraz zaczyna się szał — powiedział Eustachy. — Mam nadzieję, że te sznury wytrzymają.

— Tak — dodał Błotosmętek. — Gdyby się teraz uwolnił, miałby dwukrotnie więcej siły niż zwykle. Nie jestem zbyt dobry w walce na miecze. Poradziłby sobie z nami dwoma szybko, i wcale bym się nie dziwił. A wówczas Pole zostałaby sam na sam z tym gadem.

Więzień napierał teraz tak mocno na swe więzy, że przecięły mu skórę na przegubach rąk i na nogach.

— Strzeżcie się! — krzyczał — Strzeżcie się! Pewnej nocy rozerwałem je. Ale wtedy była tu Czarownica. Tej nocy wam nie pomoże. Uwolnijcie mnie zaraz, a będę waszym przyjacielem. Bo jeśli nie... stanę się waszym śmiertelnym wrogiem.

— Chce nas przechytrzyć — powiedział Błotosmętek,

— Po raz ostatni — zawył Rycerz — zaklinam was, uwolnijcie mnie! Na wszystko, czego się lękacie, na wszystko, co kochacie, na jasne niebo Nadziemia, na Wielkiego Lwa, na samego Aslana, rozkazuję wam...

— Och! — zawołało jednocześnie troje wędrowców, jakby ich coś ugodziło.

— To jest Znak! — zawołał Błotosmętek.

— To są SŁOWA Znaku — rzekł Eustachy niepewnym głosem.

— Och, co mamy robić? — zapytała Julia z rozpaczą.

Była to straszna chwila. Cóż warte byłyby dane sobie przyrzeczenia, że pod żadnym pozorem nie uwolnią Rycerza, gdyby zrobili to za pierwszym razem, gdy zdarzyło mu się wezwać ich do tego w imię kogoś, kto był im naprawdę drogi? Z drugiej strony, po co uczyli się tych Znaków, jeśli nie mieliby im być posłuszni? Czy jednak Aslanowi naprawdę mogło chodzić o to, aby rozwiązali każdego — nawet szaleńca

— jeśli tylko poprosi o to w jego imię? Czy nie mógł to być jedynie przypadek? A jeśli królowa Podziemia wiedziała o Znakach i nauczyła Rycerza tego imienia tylko po to, by zwabić ich w pułapkę? Ale znowu — jeśli to jest prawdziwy Znak? Nie spełnili już trzech; nie wolno im pozostać głuchymi i ślepymi na czwarty.

— Och, gdybyśmy tylko wiedzieli! — powiedziała Julia.

— Myślę, że wiemy — rzekł Błotosmętek.

— Myślisz, że nic złego się nie stanie, jak go rozwiążemy? — zapytał Eustachy.

— Tego nie wiem — odparł Błotosmętek. — Widzisz, Aslan nie powiedział Julii, co się potem stanie. Powiedział jej tylko, co robić. Ten typ załatwi nas, jak tylko będzie wolny, i wcale bym się nie dziwił. Ale to nie powinno nas wstrzymywać przed wypełnieniem Znaku.

Wszyscy troje stali, patrząc na siebie płonącymi oczami. Była to obezwładniająca chwila.

— Dobrze! — zdecydowała się nagle Julia. — Skończmy z tym. Żegnajcie!

Uścisnęli sobie dłonie. Rycerz teraz wył, a na ustach miał pianę.

— Naprzód, Eustachy! — rzekł Błotosmętek. Wyciągnęli miecze i podeszli do srebrnego krzesła.

— W imię Aslana! — zawołali i zaczęli spokojnie przecinać sznur po sznurze. Gdy tylko więzień poczuł się wolny, jednym susem dopadł stołu, chwycił leżący na nim miecz i wydobył go z pochwy.

— Najpierw ty! — ryknął i rzucił się na srebrne krzesło.

Musiał to być naprawdę dobry miecz. Przecinał srebro jak postronki i po chwili bezładnie leżały na podłodze połyskujące, poskręcane kawałki. Lecz gdy tylko krzesło się rozpadło, nad jego szczątkami zajaśniało białe światło, rozległ się przeraźliwy trzask i (przez moment) rozszedł się ohydny smród.

— Leż tutaj, wstrętna machino złych czarów — rzekł Rycerz — dopóki twoja pani nie będzie cię potrzebowała dla nowej ofiary. — Potem odwrócił się i popatrzył na swoich wybawicieli, a to coś niedobrego, cokolwiek to było, znikło z jego twarzy.

— Co? — zawołał, zwracając się do Błotosmętka. — Czyżbym miał przed sobą błotowija? Prawdziwego, żywego, narnijskiego błotowija?

— A więc jednak SŁYSZAŁEŚ o Narnii! — odezwała się Julia.

— Czyżbym o niej nie pamiętał, gdy byłem w mocy zaklęcia? No cóż to, i wszystkie inne złe uroki są już poza mną. Możecie mi naprawdę wierzyć, że znam Narnię, bo jam jest Rilian, narnijski królewicz, a Wielki Król Kaspian jest moim ojcem.

— Wasza książęca mość — rzekł Błotosmętek, klękając na jedno kolano (a dzieci zrobiły to samo) — przyszliśmy tu tylko po to, aby cię odnaleźć.

— A kim wy jesteście, moi pozostali oswobodziciele? — zwrócił się królewicz do dzieci.

— Zostaliśmy przysłani spoza krańca świata przez samego Aslana, aby odnaleźć waszą wysokość — rzekł Scrubb. — Ja jestem tym Eustachym, który żeglował z twoim ojcem do wyspy Ramandu.

— Mam wobec was tak wielki dług, że wątpię,

abym go mógł kiedykolwiek spłacić — powiedział królewicz Rilian. — Lecz co z moim ojcem? Czy jeszcze żyje?

— Popłynął znowu na wschód, zanim opuściliśmy Narnię, panie mój — odpowiedział Błotosmętek. — Ale wasza wysokość musi zważyć, że król jest bardzo stary. Nie ma dużej nadziei, by wrócił żywy z tej wyprawy.

— Jest stary, mówisz. Jak długo więc byłem w mocy tej wiedźmy?

— Minęło już dziesięć lat, odkąd wasza wysokość zaginął w północnych lasach Narnii.

— Dziesięć lat! — zawołał królewicz, pocierając twarz ręką, jakby chciał zetrzeć z niej przeszłość. — Tak, wierzę wam. Albowiem teraz, kiedy znowu jestem sobą, pamiętam to zaczarowane życie, choć wówczas, gdy byłem zaczarowany, nie pamiętałem, kim naprawdę byłem. A teraz, przyjaciele... lecz zaczekajcie! Słyszę na schodach ich kroki (czy człowiekowi nie robi się niedobrze, jak słyszy te wilgotne, miękkie kroki? Tfu!). Zamknij drzwi na rygiel, chłopcze. Albo nie. Mam lepszy pomysł. Oszukam tych Ziemistych, jeśli tylko Aslan ześle mi natchnienie. Obserwujcie mnie uważnie.

Podszedł zdecydowanym krokiem do drzwi i otworzył je gwałtownym ruchem.

ROZDZIAŁ 12

KRÓLOWA PODZIEMIA

W DRZWIACH UKAZAŁO SIĘ DWÓCH ZIEMISTYCH, lecz zamiast wejść do środka, stanęli po obu stronach drzwi i skłonili się nisko, a zaraz po nich weszła ostatnia osoba, jaką chcieliby zobaczyć, a tym bardziej jakiej się spodziewali: Pani w Zielonej Sukni, królowa Podziemia! Stanęła tuż przy drzwiach, nieruchoma jak posąg, a jej oczy rejestrowały szybko najważniejsze fragmenty sytuacji: troje przybyszów, szczątki srebrnego krzesła i uwolniony królewicz z mieczem w dłoni.

Twarz jej pobladła, a Julia pomyślała, że jest to ten rodzaj bladości, jaki pokrywa twarze niektórych ludzi nie wtedy, gdy są przestraszeni, lecz wtedy, gdy ogarnia ich wściekłość. Na chwilę Czarownica utkwiła spojrzenie w królewiczu i wówczas w jej oczach zapłonęła żądza mordu. Potem jakby się rozmyśliła.

— Zostawcie nas samych — rozkazała Ziemistym. — I niech nikt nie śmie nam przeszkadzać, dopóki sama was nie wezwę, pod groźbą tortur i śmierci. — Gnomy opuściły posłusznie komnatę, a królowa zamknęła i zaryglowała drzwi.

— Jakże to, mój panie królewiczu? — zapytała. — Czy twój nocny napad jeszcze nie nadszedł, czy też tak szybko się skończył? Dlaczego stoisz tu rozwiązany? Kim są twoi sprzymierzeńcy? I czy to oni zniszczyli krzesło, które było twoim jedynym ratunkiem?

Królewicz Rilian zadrżał, gdy usłyszał jej głos. I trudno się temu dziwić; nie jest łatwo otrząsnąć się w ciągu pół godziny z uroku, który czynił kogoś niewolnikiem przez dziesięć lat. Potem powiedział z wysiłkiem:

— Pani, to krzesło nie będzie już więcej potrzebne. A ty, która powtarzałaś mi setki razy, jak głęboko litujesz się nad moim żałosnym stanem, bez wątpienia uradujesz się, że zły czar nie ma już władzy nade mną. Sądzę, że w swoich próbach ulżenia memu losowi popełniłaś, pani, jakiś błąd. To oni, moi prawdziwi przyjaciele, uwolnili mnie od złego czaru. Jestem znowu sobą i pragnę ci powiedzieć dwie rzeczy. A oto pierwsza. Teraz, gdy już jestem w pełni sobą, całkowicie odrzucam i uznaję za nikczemny zamiar waszej królewskiej mości ofiarowania mi dowództwa armii Ziemistych, abym na ich czele wtargnął do Nadziemia; odrzucam plan uczynienia mnie przemocą królem jakiegoś ludu, który mi nigdy nic złego nie uczynił, królem mordującym jego naturalnych władców i zasiadającym na obcym tronie jako krwawy tyran. I druga rzecz: jestem synem króla Narnii, Rilianem, jedynym potomkiem Kaspiana, dziesiątego tego imienia, którego nazywają też Kaspianem Żeglarzem. Dlatego też, pani, jest mym zamiarem, a również i moim obowiązkiem, opuścić natychmiast dwór waszej królewskiej mości i udać się do mojej ojczyzny. Racz zapewnić mnie i moim przyjaciołom bezpieczny przejazd przez twoje ciemne królestwo.

Czarownica nic nie odpowiedziała na te słowa, lecz przeszła spokojnym, wolnym krokiem przez komnatę, z oczami przez cały czas utkwionymi w królewiczu. Kiedy znalazła się przy kominku, włożyła rękę do niewielkiej niszy i wyciągnęła stamtąd pełną garść jakiegoś zielonego proszku, który natychmiast rzuciła w ogień. Rozszedł się słodki, oszałamiający zapach. W ciągu rozmowy, jaka wkrótce nastąpiła, zapach ten stawał się coraz mocniejszy, aż napełnił cały pokój, przeszkadzając zebrać myśli. Potem wyjęła z tej samej niszy jakiś instrument podobny do mandoliny i zaczęła lekko szarpać palcami jego struny, wydobywając z nich monotonne dźwięki, których po kilku minutach nikt już nie słyszał. Im mniej się jednak je słyszało, tym głębiej przenikały mózg i krew. To również utrudniało myślenie. Po jakimś czasie (a słodki zapach był już teraz bardzo silny) przemówiła czarującym, łagodnym głosem:

— Narnia? Narnia? Często słyszałam, jak powtarzasz to słowo w ataku szału. Miły książę, jesteś naprawdę bardzo chory. Nie ma takiego kraju, który nazywa się Narnia.

— A jednak on istnieje, pani — odezwał się Błotosmętek. — Tak się składa, że spędziłem w nim całe swoje życie.

— Czyżby? — zdziwiła się Czarownica. — Powiedz mi łaskawie, gdzie leży ten kraj?

— Tam, w górze — odpowiedział Błotosmętek śmiało, wskazując na sufit. — Właściwie to... nie wiem dokładnie gdzie.

— Jak to? — powiedziała królowa, śmiejąc się cicho i melodyjnie. — Czyżby jakiś kraj leżał wśród kamieni i zaprawy murarskiej składających się na sklepienie tej komnaty?

— Nie — rzekł Błotosmętek, z pewnym trudem łapiąc powietrze ustami. — On leży w Nadziemiu.

— A gdzie jest lub czym jest to... jak to nazwałeś?... NADZIEMIE?

— Och, przestań udawać głupią! — zawołał Scrubb, dzielnie walcząc przez cały czas z czarem słodkiego zapachu i muzyki. — Tak jakbyś nie wiedziała! Ten kraj jest nad nami, tam, w górze, skąd widać niebo, słońce, gwiazdy. Przecież sama tam byłaś. Tam cię spotkaliśmy.

— Błagam cię o wybaczenie, mój mały bracie — zaśmiała się Czarownica (trudno sobie wyobrazić bardziej rozkoszny śmiech). — Nie pamiętam tego spotkania. Ale często spotyka się przyjaciół w dziwnych miejscach podczas marzeń sennych. Lecz dopóki wszyscy nie będą śnić tego samego, nie możesz od nich wymagać, aby to pamiętali.

— Pani — rzekł królewicz surowo — już ci powiedziałem, że jestem synem króla Narnii.

— I będziesz nim nadal, miły przyjacielu — powiedziała Czarownica przesadnie przymilnym tonem, jakby uspokajała dąsające się dziecko. — Będziesz królem wielu nie istniejących krajów w swoich snach i fantazjach.

— My też tam byliśmy — warknęła Julia, wściekła, bo czuła, że z każdą chwilą czar obezwładnia ją coraz bardziej. Ale, oczywiście, już samo to, iż wciąż to jeszcze odczuwała, najlepiej świadczyło, że jeszcze nie całkiem poddała się czarowi.

— A ty jesteś bez wątpienia królową Narnii, moja ślicznotko? — w głosie Czarownicy zabrzmiała kpina.

— Nie jestem żadną królową! — oburzyła się Julia, tupiąc nogą. — MY przychodzimy z innego świata.

— No wiecie, to naprawdę świetna zabawa! — zawołała Czarownica. — Powiedz mi, panienko, gdzie jest ten inny świat? Jakie okręty i rydwany przenoszą ludzi stamtąd do owego świata?

Mnóstwo rzeczy wtargnęło do głowy Julii jednocześnie: Szkoła Eksperymentalna, Adela Pennyfather, jej własny dom, radioodbiorniki, kina, samochody, samoloty, kartki żywnościowe, kolejki w sklepach. Wszystkie jednak wydawały się bardzo odległe i mgliste. (Brzdęk — brzdęk — brzdęk — dźwięczały struny dziwnego instrumentu pod palcami Czarownicy.) Julia nie mogła sobie przypomnieć nazw wielu rzeczy z naszego świata, lecz tym razem nie pomyślała już, że to działają na nią jakieś czary, bo osiągnęły już pełną moc, a jest oczywiste, że im bardziej jest się zaczarowanym, tym bardziej jest się pewnym, że wcale tak nie jest. Nagle stwierdziła, że mówi (a w tym momencie powiedzenie tego przyniosło jej ulgę):

— Nie. Myślę, że ten inny świat jest po prostu snem.

— Tak. To wszystko jest tylko snem — powiedziała Czarownica, nie przestając trącać strun.

— Tak, to wszystko jest snem — powtórzyła Julia.

— Nigdy nie istniał taki świat — powiedziała Czarownica.

— Tak — powtórzyli razem Julia i Eustachy. — Nigdy nie istniał taki świat.

— Nigdy nie było żadnego innego świata prócz mojego — powiedziała Czarownica.

— Nigdy nie było żadnego innego świata prócz twojego — powtórzyły dzieci.

Lecz Błotosmętek wciąż się nie poddawał.

— Nie wiem dokładnie, co masz na myśli mówiąc „świat" — powiedział jak człowiek, któremu brakuje powietrza — ale możesz sobie rzępolić na tych skrzypcach, dopóki ci palce nie odpadną, a ja i tak nigdy nie zapomnę Narnii, a także całego Nadziemia. Pewno go już nigdy nie zobaczymy, i wcale bym się nie dziwił. Możesz to wszystko zamazywać, plątać i zaciemniać, jak to robisz w tej chwili, bez dwóch zdań. Ale ja wiem, że tam byłem. Widziałem niebo pełne gwiazd. Widziałem słońce wynurzające się rankiem z oceanu i zachodzące za góry wieczorem. I widziałem je w samym środku dnia, choć nie mogłem na nie patrzyć z powodu jego blasku.

Słowa Błotosmętka były dla dzieci tym, czym źródlana woda dla ginących z pragnienia. Odetchnęły głęboko i popatrzyły na siebie jak ludzie budzący się ze snu.

— Ależ tak, tam jest słońce! — zawołał królewicz. — Oczywiście! Niech Aslan błogosławi tego szlachetnego błotowija! Przez ostatnie kilka minut wszyscy byliśmy pogrążeni we śnie. Jak mogliśmy o tym wszystkim zapomnieć? Przecież wszyscy widzieliśmy słońce.

— Wielkie nieba! Tak, widzieliśmy! — powiedział Eustachy. — Chwała ci, Błotosmętku, tylko ty jeden z nas wszystkich masz olej w głowie.

Głos Czarownicy zabrzmiał teraz jak ciche gruchanie turkawki ukrytej w wysokich wiązach w jakimś starym ogrodzie o trzeciej godzinie sennego letniego popołudnia:

— A cóż to takiego to SŁOŃCE, o którym mówicie? Czy to słowo naprawdę coś oznacza?

— Tak, dla nas oznacza, i to wiele — rzekł Scrubb.

— Czy możecie mi powiedzieć, jakie ono jest? — zapytała Czarownica. (Brzdęk — brzdęk — brzdęk, śpiewały cicho struny.)

— Racz posłuchać, wasza królewska mość — rzekł królewicz bardzo chłodno, lecz uprzejmie. — Widzisz tę lampę? Jest okrągła i żółta i oświetla cały pokój; jest też zawieszona u sufitu. Ta rzecz, którą nazywamy słońcem, jest podobna do tej lampy, tyle że jest daleko większa i jaśniejsza. Oświetla ona całe Nadziemie i wisi na niebie.

— A na czym jest zawieszona, mój panie? — zapytała Czarownica, a potem, kiedy wszyscy wciąż jeszcze zastanawiali się, jak jej odpowiedzieć, wybuchnęła swym cichym, srebrzystym śmiechem i dodała: — Widzisz? Kiedy próbujesz wyobrazić sobie dokładnie, czym jest to SŁOŃCE, nie potrafisz mi tego powiedzieć. Możesz tylko powiedzieć, że jest podobne do lampy. Wasze SŁOŃCE jest tylko snem, a w tym śnie nie ma niczego, co nie byłoby odzwierciedleniem lampy. Lampa istnieje naprawdę, a SŁOŃCE jest tylko marzeniem, dziecinną bajką.

— Tak, teraz to rozumiem — powiedziała Julia ciężkim, bezbarwnym głosem. — Tak musi być. — I to, co mówiła, wydawało się jej bardzo rozsądne.

Powoli i uroczyście Czarownica powtórzyła:

— Nie ma żadnego SŁOŃCA. — Wszyscy milczeli, a ona jeszcze raz powtórzyła, tym razem bardziej cicho i głęboko: — Nie ma żadnego SŁOŃCA.

Po chwili ciszy, po wewnętrznej walce, jaką stoczyli ze sobą, wszyscy czworo powiedzieli jednocześnie z wyraźną ulgą:

— Tak, to prawda. Nie ma żadnego słońca.

— Nigdy nie było żadnego SŁOŃCA — powiedziała Czarownica.

— Tak, nigdy nie było słońca — powtórzył królewicz, a potem Błotosmętek i dzieci.

Przez ostatnie kilka minut Julii nie opuszczało przeświadczenie, że jest coś, o czym powinna sobie przypomnieć za wszelką cenę. I teraz sobie przypomniała. Jednakże wypowiedzieć to coś było okropnie trudno, jakby na wargach położono jej jakiś ciężar. W końcu powiedziała z wysiłkiem, który zdawał się wyczerpywać wszystkie jej siły:

— Jest Aslan.

— Aslan? — powtórzyła Czarownica, a dźwięki, jakie wydobywała ze strun dziwnego instrumentu, popłynęły nieco szybciej. — Cóż za piękne imię! Co ono oznacza?

— To imię Wielkiego Lwa, który wezwał nas z naszego świata — rzekł Eustachy — i przysłał nas tu, abyśmy znaleźli królewicza Riliana.

— A co to jest LEW? — zapytała Czarownica.

— A niech to wszyscy diabli — nie wytrzymał Scrubb. — Nie wiesz? Jak jej to opisać... Czy widziałaś kiedyś kota?

— Oczywiście — odpowiedziała królowa. — Bardzo lubię koty.

— No więc lew jest trochę... pamiętaj, tylko trochę... podobny do olbrzymiego kota... z grzywą. To nie jest taka grzywa, jaką ma koń, raczej coś takiego jak peruka sędziego. I jest żółty. I straszliwie silny.

Czarownica potrząsnęła głową.

— Widzę, że nie porozumiemy się co do tego, jak go nazywacie, LWA lepiej niż co do waszego SŁOŃCA. Widzieliście lampy, no i wyobraziliście sobie jakąś większą, lepszą lampę i nazwaliście ją SŁOŃCEM. Widzieliście koty, a teraz chcecie, żeby istniał jakiś większy, lepszy kot, który będzie się nazywał LWEM. No cóż, to są piękne fantazje, ale mówiąc szczerze, pasowałyby do was lepiej, gdybyście byli trochę młodsi. Sami pomyślcie: nie potraficie wyobrazić sobie niczego nowego, wszystko jest zaczerpnięte z rzeczywistego świata, z MOJEGO świata, który jest jedynym istniejącym światem. Ale nawet wy, dzieci, jesteście już za duże na takie zabawy. A ty, mój królewiczu, będąc dojrzałym młodzieńcem, powinieneś się naprawdę wstydzić! Nie przystoją ci już takie zabawy. No, ale dość już tego. Dajmy spokój dziecinnym fantazjom. Mam dla was wszystkich wiele zajęć tutaj, w prawdziwym świecie. Nie ma żadnej Narnii, żadnego Nadziemia, żadnego nieba, żadnego słońca, żadnego Aslana. A teraz do łóżka, spać, głęboko spać na miękkich poduszkach, bez żadnych ogłupiających snów!

Królewicz i dwoje dzieci stali z pochylonymi nisko głowami, z półprzymkniętymi powiekami i czerwonymi policzkami. Nie mieli już sił, byli prawie całkowicie zaczarowani. Ale Błotosmętek zebrał w sobie rozpaczliwie wszystkie siły i podszedł do kominka. I wówczas uczynił coś niesłychanie dzielnego. Wiedział, że nie będzie go to tak bolało jak człowieka, ponieważ miał stopy płetwowate, twarde i zimne, jak u kaczki. Ale wiedział też, że zaboli go dość mocno, więc zrobił to. Włożył bosą nogę do kominka, aż prawie cała stopa zanurzyła się w czerwonym żarze paleniska. I wówczas trzy rzeczy wydarzyły się jednocześnie.

Po pierwsze, słodkawy, ciężki zapach nagle bardzo osłabł. Chociaż bowiem ogień nie wygasł zupełnie, większość drewna już się wypaliła, a to, co pozostało, zapachniało przede wszystkim przypiekanym błotowijem, a nie jest to zapach, którym można kogoś zaczarować. Wszyscy zaczęli myśleć jaśniej; królewicz i dzieci podnieśli głowy i otworzyli oczy.

Po drugie, Czarownica wrzasnęła ostrym, strasznym głosem, całkiem różnym od słodkiego głosiku, którym dotychczas przemawiała:

— Co robisz? Jeżeli się ośmielisz raz jeszcze dotknąć mojego ognia, szlamowaty plugawcu, zamienię ci w ogień krew w żyłach!

Po trzecie, ból otrzeźwił Błotosmętka tak, że przez chwilę wiedział dokładnie, co naprawdę myśli. Nie ma nic lepszego od mocnego wstrząsu spowodowanego bólem, jeśli się chce wyzwolić z mocy pewnego rodzaju czarów.

— Jedno słówko, pani — rzekł, wracając od kominka i kulejąc przy tym z bólu. — Jedno słówko. Wszystko, co powiedziałaś, jest prawdziwe, i wcale bym się nie dziwił. Taki już jestem, że lubię wiedzieć najgorsze, a wtedy staram się zachować twarz, jak potrafię. Nie będę więc zaprzeczał temu, co powiedziałaś. Ale mimo to trzeba jeszcze powiedzieć jedno. Przypuśćmy, że my naprawdę tylko wyśniliśmy albo wymyśliliśmy sobie te wszystkie rzeczy: drzewa i trawę, słońce i księżyc, gwiazdy i samego Aslana. Przypuśćmy, że tak jest. Ale jeśli tak, to mogę tylko powiedzieć, że te wymyślone rzeczy wydają mi się o wiele bardziej ważne niż tamte prawdziwe. Przypuśćmy, że ta wielka czarna dziura, twoje królestwo, JEST prawdziwym światem. No cóż, muszę wyznać, że to bardzo żałosny świat. To bardzo zabawne, kiedy się o tym pomyśli. Jeśli masz rację, to jesteśmy tylko dziećmi, które sobie wymyśliły zabawę. Ale czworo bawiących się dzieci może stworzyć fantastyczny świat, który sprawia, że twój prawdziwy świat staje się pusty. Dlatego zamierzam pozostać przy tym świecie z zabawy. Jestem po stronie Aslana, nawet jeśli nie ma żadnego Aslana. Chcę żyć jak Narnijczyk, tak jak potrafię, nawet jeśli nie ma żadnej Narnii. Tak więc dziękujemy pięknie za kolację i, jeśli tych dwu młodzieńców i ta młoda dama są już gotowi, opuszczamy twój dwór natychmiast, ruszamy w ciemność, aby spędzić resztę swego życia na poszukiwaniu Nadziemia. Nie sądzę, abyśmy żyli bardzo długo, i wcale bym się nie dziwił, ale to niewielka strata, jeśli prawdziwy świat jest tak ponurym miejscem, jak mówisz.

— Hurra! Niech żyje Błotosmętek! — zawołały dzieci. Lecz królewicz krzyknął nagle: — Uwaga! Spójrzcie na Czarownicę!

Kiedy spojrzeli, włosy stanęły im dęba.

Odrzuciła instrument. Jej ręce zdawały się przyrastać do boków. Jej nogi splątały się ze sobą, a stopy znikły. Długi, zielony tren sukni zgrubiał i jakby się wypełnił, zrastając w jedno z poskręcaną, zieloną kolumną jej nóg. I ta poskręcana kolumna zaczęła się krzywić i falować, jakby nogi nie miały stawów albo przeciwnie — jakby się składały z samych stawów. Odrzuciła głowę do tyłu i podczas gdy nos wydłużał się i wydłużał, reszta twarzy zdawała się znikać. Pozostały tylko oczy: olbrzymie, jarzące się oczy bez brwi i rzęs. Wszystko to trwało tyle, ile potrzeba czasu, aby to opisać — tyle, ile potrzeba czasu, aby to zobaczyć, ponieważ już za chwilę zmiana się dokonała i wielki wąż, w którego przeobraziła się Czarownica, zielony jak trucizna i gruby jak kibić Julii, owinął dwa lub trzy sploty swego ohydnego cielska wokół nóg królewicza. Inny splot wyskoczył jak błyskawica w górę, aby przycisnąć jego uzbrojone ramię do boku. Ale Rilian był szybszy. Podniósł ramiona i żywy węzeł otoczył tylko jego piersi, gotów zmiażdżyć mu żebra, tak jak zaciśnięty mocno powróz miażdży wiązkę gałązek.

Królewicz schwycił bestię lewą ręką za kark, próbując ją zadusić. Jej twarz (jeśli można to nazwać twarzą) znalazła się kilka cali od jego twarzy. Rozwidlony język wynurzał się błyskawicznie raz po raz, chcąc go ugodzić, lecz odległość była jeszcze za duża. Rilian cofnął prawą rękę daleko do tyłu, by zadać silniejszy cios. Tymczasem Scrubb i Błotosmętek również dobyli mieczy i skoczyli, aby mu pomóc. Trzy ciosy spadły jednocześnie. Eustachy uderzył poniżej ręki królewicza (i nawet nie zdołał przeciąć łusek), lecz Rilian i Błotosmętek trafili w kark węża. Ale nawet to go nie zabiło, choć zaciśnięte na nogach i piersi Riliana sploty nieco się rozluźniły. Następne ciosy odrąbały gadowi głowę. Ohydne cielsko opadło i miotało się jeszcze przez jakiś czas, skręcając i zwijając się jak sprężyna, a posadzka, jak sobie można wyobrazić, nie wyglądała potem pięknie.

— Panowie, dziękuję wam — rzekł królewicz, oddychając głęboko. Trzej zwycięzcy stali przez dłuższą chwilę w milczeniu, patrząc na siebie. Julia bardzo rozsądnie usiadła i też nic nie mówiła, powtarzając tylko w myśli: „Mam nadzieję, że nie zemdleję... albo nie zacznę beczeć... albo nie zrobię nic głupiego".

— Moja matka została pomszczona — rzekł wreszcie Rilian. — To bez wątpienia ten sam gad, którego ścigałem wiele lat temu przy źródle w narnijskiej puszczy. Przez te wszystkie lata byłem niewolnikiem zabójczyni mojej matki. Ale rad jestem, szlachetni panowie, że ta obmierzła wiedźma przybrała w końcu postać węża. Ani moje serce, ani mój honor nie czułyby się dobrze, gdybym musiał zabić kobietę. Lecz spójrzcie na tę młodą damę... — Miał na myśli Julię.

— Nic mi nie jest — wyjąkała.

— Pani — rzekł królewicz — jesteś bardzo odważna, co każe mi mieć pewność, że pochodzisz ze szlachetnego rodu w twym świecie. Ale podejdźcie tu, przyjaciele. Zostało trochę wina. Warto się orzeźwić i wypić nasze zdrowie. A potem pomyślimy, co robić dalej.

— Wyśmienity pomysł, mości książę — powiedział Eustachy.

ROZDZIAŁ 13

PODZIEMIE BEZ KRÓLOWEJ

DLA WSZYSTKICH STAŁO SIĘ JASNE, że zyskali teraz to, co Scrubb nazwał „chwilą wytchnienia". Czarownica zamknęła uprzednio pokój i zapowiedziała Ziemistym, aby jej nie przeszkadzano, tak więc na razie mogli się nie obawiać czyjegoś wejścia. Przede wszystkim należało zająć się nogą Błotosmętka. Z przyniesionych z sypialni królewicza kilku czystych koszul — podartych na pasy i posmarowanych masłem i oliwą, jakie zostały na stole po kolacji — zrobili zupełnie niezły opatrunek. Potem usiedli, aby trochę odetchnąć i omówić plany ucieczki z Podziemia.

Rilian powiedział im, że jest dość dużo wyjść na powierzchnię ziemi; z większości już kiedyś korzystał. Nigdy jednak nie wychodził przez nie sam, zawsze towarzyszyła mu Czarownica i za każdym razem trzeba było najpierw przepłynąć barką Bezsłoneczne Morze. Trudno przewidzieć, jak zachowaliby się Ziemiści, gdyby pojawił się na przystani bez niej, ale za to z trzema obcymi, i po prostu zażądał łodzi. Bardzo prawdopodobne, że spotkałby się z pytaniami, na które niełatwo byłoby odpowiedzieć. Natomiast najnowsze wyjście, to, przez które miał ruszyć atak na Nadziemie, znajdowało się po tej stronie morza, zaledwie kilka mil od pałacu. Królewicz wiedział, że tunel prawie już ukończono: tylko kilka stóp ziemi dzieliło kopiących od powierzchni. Możliwe nawet, że już jest gotowy, a Czarownica wróciła właśnie po to, aby mu o tym powiedzieć i dać sygnał do ataku. A gdyby nawet tak nie było, mogliby sami dokopać się do powierzchni w ciągu kilku godzin — gdyby tylko udało im się dostać do tunelu i gdyby nie okazał się zbyt silnie strzeżony. Ale tego, rzecz jasna, nie wiedzieli.

— Gdybym ja miał decydować... — zaczął Błotosmętek, lecz Eustachy przerwał mu:

— Posłuchajcie! Co to za hałas?

— Właśnie zastanawiam się nad tym od pewnego czasu — powiedziała Julia.

Prawdę mówiąc, wszyscy słyszeli już owe dziwne dźwięki, ale narastały one tak powoli i stopniowo, że trudno byłoby im określić, kiedy usłyszeli je po raz pierwszy. Najpierw był to tylko jakiś nieuchwytny niepokój, jak szum łagodnego wiatru lub odgłos bardzo dalekiej ulicy. Później ów szum nabrzmiał do pomruku, jaki wydaje morze. Potem przyszły gwałtowne dudnienia i łoskoty. A teraz słyszeli już czyjeś głosy na tle nieustannego, monotonnego ryku, który głosem nie był.

— Na Wielkiego Lwa! — zawołał królewicz Rilian. — Wygląda na to, że ten milczący lud odnalazł w końcu swój język. — Wstał, podszedł do okna i rozsunął zasłony. Pozostali stłoczyli się wokół niego, aby zobaczyć, co się dzieje.

Od razu spostrzegli wielką czerwoną łunę. Jej odblask znaczył się krwawą plamą na sklepieniu Podziemia, setki metrów nad nimi, tak że zobaczyli teraz po raz pierwszy skalisty strop, który być może od początku świata aż do tej chwili pozostawał ukryty w ciemnościach. Czerwona łuna miała swe źródło gdzieś na dalekim krańcu miasta, bo widać było czarne, posępne kontury budynków na jej tle. Część światła wlewała się w ulice biegnące prostopadle do zamku. A na tych ulicach działo się coś niezwykłego. Gęsty, cichy tłum Ziemistych znikł. Zamiast niego miotały się — pojedynczo, po dwie, po trzy — jakieś postacie. Zachowywały się tak, jakby chciały pozostać nie zauważone: ukrywały się w cieniu rzucanym przez odrzwia i kamienne przypory domów, aby potem szybko przebiec przez oświetloną przestrzeń w poszukiwaniu nowej kryjówki. Najdziwniejszą rzeczą dla każdego, kto znał gnomy, był ów hałas. Wrzaski i zawołania rozlegały się ze wszystkich stron. A od przystani nadciągał niski, dudniący ryk, coraz głośniejszy i głośniejszy, aż w końcu drżało od niego całe miasto.

— Co się stało z Ziemistymi? — zapytał Scrubb. — Czy to ONI tak krzyczą?

— Trudno w to uwierzyć — rzekł królewicz. — Przez te wszystkie pełne udręki lata mej niewoli nigdy nie słyszałem, by którykolwiek z tych szubrawców podniósł głos. Jestem pewien, że to jakieś nowe diabelstwo.

— A co to za czerwone światło? — zapytała Julia. — Czy coś się pali?

— Gdyby mnie ktoś pytał — odparł Błotosmętek — powiedziałbym, że to z trzewi ziemi wylewa się ogień, aby utworzyć jakiś nowy wulkan. A my znajdujemy się w samym jego środku, i wcale bym się nie dziwił.

— Popatrzcie na ten statek! — Eustachy wskazał ręką. — Jakim cudem płynie tak szybko? Nikt nie wiosłuje.

— Patrzcie! Patrzcie! — zawołał królewicz. — Statek jest po tej stronie przystani, on jest na ulicy! Patrzcie! Wszystkie statki wpływają do miasta. Niech padnę trupem, jeśli to nie potop. Morze powstało. Dzięki niech będą Aslanowi: ten zamek stoi na wysokim wzgórzu. Ale woda szybko przybiera!

— Och, co MOŻE się stać? — zapytała Julia. — Ogień, woda i te wszystkie dziwne stwory kręcące się po ulicach.

— Powiem wam, co to jest — rzekł Błotosmętek. — To wiedźma oplotła swoje królestwo całym łańcuchem zaklęć, tak że rozpadło się natychmiast po jej śmierci. Należała do takich, co to pogodzą się nawet ze swoją śmiercią, jeśli tylko mają pewność, że ten, kto ich zabił, będzie spalony, zasypany lub utopiony w pięć minut później.

— Trafiłeś w samo sedno, przyjacielu błotowiju — zgodził się królewicz. — Kiedy nasze miecze odrąbały głowę Czarownicy, te ciosy położyły kres wszystkim jej czarom i teraz Kraje Otchłani rozpadają się na kawałki. To, na co patrzymy, to koniec Podziemia.

— Tak jest, panie — rzekł Błotosmętek. — Tak to jest, chyba że to coś więcej, że to koniec całego świata.

— Ale czy mamy tutaj zostać i po prostu... czekać? — zapytała Julia zduszonym głosem.

— Nie, jeśli nam życie miłe — powiedział królewicz. — Pójdę i uratuję mojego konia Węgielka i Śnieżkę Czarownicy... to szlachetne zwierzę zasługuje na lepszą panią. Potem spróbujemy wydostać się stąd i odszukać to ostatnie wyjście. Na każdego konia mogą wsiąść dwie osoby, a jeśli się wie, jak je zachęcić do biegu, można wyprzedzić potop.

— Czy wasza wysokość nie włoży zbroi? — zapytał Błotosmętek. — Nie podoba mi się ICH wygląd — tu wskazał na ulicę.

Wszyscy spojrzeli. Od strony przystani nadchodziły dziesiątki postaci (były już tak blisko, że rozpoznali Ziemistych). Ale teraz nie poruszali się już jak spieszący za swoimi sprawami przechodnie ludnego miasta. Teraz zachowywali się jak żołnierze nowoczesnej, dobrze wyszkolonej armii w natarciu, przebiegając szybko odkryte przestrzenie i natychmiast szukając ukrycia przed obserwatorami z okien zamku.

— Nie zdobędę się na to, by ponownie zobaczyć tę zbroję od środka — rzekł Rilian. — Jeździłem w niej konno jak w ruchomym lochu. Cała cuchnie złymi czarami i niewolą. Wezmę tylko tarczę.

Wyszedł z komnaty i po chwili wrócił, a jego oczy płonęły dziwnym blaskiem.

— Spójrzcie, przyjaciele — rzekł wyciągając do nich tarczę. — Jeszcze godzinę temu była cała czarna, bez żadnego godła, a teraz... spójrzcie! — Tarcza lśniła srebrem, a na jej powierzchni, czerwieńszy niż krew lub wiśnie, widniał Lew wspinający się na tylne łapy.

— A to oznacza bez wątpienia — dodał królewicz — że Aslan będzie zawsze naszym dobrym panem, bez względu na to, czy mamy umrzeć, czy żyć. Jest nam więc wszystko jedno. Oto moja rada. Uklęknijmy i ucałujmy jego podobiznę, uściśnijmy sobie wszyscy dłonie, jak prawdziwi przyjaciele, którzy mają się rychło rozstać. A potem zejdźmy do miasta i stawmy czoło przygodzie, jaka nas czeka.

I wszyscy zrobili tak, jak radził królewicz. A kiedy Eustachy podał rękę Julii, powiedział:

— Do zobaczenia, Julio. Wybacz mi, że miałem takiego stracha, a potem wściekałem się jeszcze jak głupi. Na pewno bezpiecznie wrócisz do domu.

A Julia powiedziała:

— Bywaj, Eustachy! I mnie jest przykro, że byłam taką świnią.

Po raz pierwszy mówili sobie po imieniu; w szkole wszyscy używali tylko nazwisk.

Królewicz odryglował drzwi, dobyli mieczy (Julia trzymała w ręku swój harcerski nóż) i zeszli po schodach. Wartownicy gdzieś znikli, a wielka komnata na dole była pusta. Szare, smutne lampy wciąż płonęły i w ich świetle bez trudu przeszli przez wszystkie schody i krużganki. Odgłosy z miasta, tak niepokojące i natarczywe na górze, tutaj ledwo dochodziły. Cały zamek sprawiał wrażenie cichego i opuszczonego. Dopiero gdy weszli do wielkiej sali na parterze, spotkali pierwszego Ziemistego — tłuste, białawe stworzenie z niezwykle prosiakowatą twarzą — który zbierał pospiesznie resztki jedzenia ze stołów. Na ich widok zakwiczał (kwik był również bardzo prosiakowaty) i dał nura pod ławę, wciągając swój długi ogon, zanim Błotosmętek zdołał go schwycić. Potem wynurzył się w odległym końcu sali i wybiegł przez drzwi tak szybko, że nie warto było go ścigać.

Z wielkiej sali wyszli na dziedziniec. Julia, która chodziła do wakacyjnej szkółki jeździeckiej, poczuła właśnie zapach stajni (bardzo prawdziwy, swojski i kochany zapach, mile rozpoznany w miejscu takim jak Podziemie), kiedy Eustachy zawołał:

— O, holender! Popatrzcie na to! — Wspaniała raca wystrzeliła gdzieś spoza murów zamku i rozprysnęła się na zielone gwiazdy.

— Fajerwerki? — zdumiała się Julia.

— Tak — rzekł Eustachy — ale nie wyobrażaj sobie, że ten lud ziemi puszcza je dla zabawy. To musi być sygnał.

— I założę się, że nie wróży nam nic dobrego — mruknął Błotosmętek.

— Przyjaciele — odezwał się królewicz — kiedy człowiek zostanie pochwycony przez wir przygody takiej jak ta, musi porzucić zarówno nadzieje, jak i lęki, gdyż w przeciwnym razie śmierć lub ratunek nadejdą za późno, by ocalić jego honor i cel, jaki mu przyświecał. Hoo! Moje piękności! — otwierał teraz bramę stajni. — Hej, kuzyni! Spokojnie, Węgielek. Bądź miła, Śnieżko! Pamiętałem o was.

Konie były wyraźnie zaniepokojone dziwnym światłem i hałasem. Julia, która tak bała się przejścia przez czarną dziurę między jedną jaskinią a drugą, teraz odważnie weszła między bijące kopytami i rżące zwierzęta, aby pomóc Rilianowi założyć im uprząż i siodła. Były to piękne rumaki i przyjemnie było na nie patrzyć, kiedy, wstrząsając łbami, wyszły na dziedziniec.

Julia dosiadła Śnieżki, zabierając na siodło Błotosmętka, a królewicz wskoczył na Węgielka, pomagając usiąść za sobą Eustachemu. Potem z łoskotem podków, odbijającym się głośnym echem po dziedzińcu, wyjechali przez główną bramę na ulicę.

— Nie musimy się obawiać spalenia żywcem. Oto jaśniejsza strona sytuacji — zauważył Błotosmętek, wskazując w prawo. A tam, mniej niż sto metrów od nich, bulgotała czarna woda, napierając na ściany domów.

— Odwagi! — zawołał królewicz. — Droga opada tu bardzo stromo. Woda podniosła się dopiero do połowy najwyższego wzgórza w mieście. Być może podeszła tak blisko przez pierwsze pół godziny i nie sięgnie dalej w ciągu następnych dwu godzin. Bardziej obawiam się tego... — i wskazał mieczem na wielkiego Ziemistego z kłami jak u dzika, wiodącego sześciu innych (różnego wzrostu i kształtu). Grupa przebiegła szybko przez ulicę i skryła się w cieniu domów.

Rilian prowadził ich nieco w lewo od źródła czerwonej łuny. Jego plan polegał na obejściu pożaru (jeśli to był pożar) i dostaniu się w wyższe rejony Podziemia w nadziei odnalezienia drogi do nowego tunelu. W przeciwieństwie do pozostałej trójki zachowywał się tak, jakby przygoda go cieszyła. Pogwizdywał beztrosko, a od czasu do czasu śpiewał urywki starej pieśni o Korinie Piorunorękim z Archenlandii. Prawdę mówiąc, tak cieszył się wyzwoleniem z długiej niewoli złego czaru, że wszystkie inne niebezpieczeństwa wydawały mu się teraz zabawą. Dla pozostałych była to jednak wędrówka pełna grozy.

Gdzieś z tyłu dochodził łoskot uderzających o siebie statków i walących się domów. Nad głowami majaczyła ponura plama odblasku na sklepieniu Podziemia. Przed nimi drgała tajemnicza łuna, której jasność ani nie malała, ani nie rosła. Napływał do nich stamtąd nieustanny zgiełk okrzyków, pisków, miauków, śmiechów, skomleń i ryków, a w ciemność wzbijały się różne rodzaje sztucznych ogni. Nikt nie miał pojęcia, co to wszystko oznacza. Bliżej nich miasto było oświetlone częściowo przez ową łunę, a częściowo przez tak bardzo odmienne światło ponurych lamp gnomów. Było jednak wiele i takich miejsc, do których nie dochodziło ani jedno, ani drugie, i miejsca te ziały nieprzeniknioną czernią. Przez cały czas wynurzały się z nich i wślizgiwały szybko z powrotem postacie Ziemistych, zawsze z oczami utkwionymi w czwórce uciekinierów i zawsze starające się ukryć przed ich wzrokiem. Były tam twarze wielkie i małe, były oczy okrągłe i wypukłe jak u ryb, i małe oczka jak u niedźwiedzi. Były pióra i szczeciny, rogi i kły, były nosy zwisające jak grube harapy i podbródki tak długie, że wyglądały jak brody. I raz po raz jakaś grupa powiększała się i zbliżała niebezpiecznie, a wówczas królewicz groźnie potrząsał mieczem i udawał, że rusza do ataku, co powodowało odwrót grupy: z tupotem, piskiem i pełnym strachu cmokaniem rozpełzała się szybko w ciemności.

Ale kiedy po przebyciu wielu stromych uliczek wydostali się już prawie z miasta, sytuacja stała się jeszcze groźniejsza. Byli już blisko źródła czerwonej łuny, lecz wciąż jeszcze nie wiedzieli, co to takiego jest. Setki

— może nawet tysiące — gnomów posuwały się w tym samym co i oni kierunku krótkimi skokami, odwracając się za każdym razem ku nim po przebiegnięciu otwartej przestrzeni.

— Gdyby mnie kto pytał — zauważył Błotosmętek — to powiedziałbym, że te typy zamierzają odciąć nam drogę.

— I ja tak myślę, Błotosmętku — rzekł królewicz. — Nie przedrzemy się przez taki tłum. Posłuchaj. Podejdźmy do rogu tego domu, a jak tylko tam będziemy, skacz z konia i schowaj się w cieniu. My odjedziemy nieco dalej i jestem pewien, że część tych diabłów pociągniemy za sobą. Masz długie ręce, spróbuj złapać jednego, jak będzie przebiegał obok twojej kryjówki. Może w ten sposób dowiemy się wreszcie, co mają przeciw nam.

— Ale czy reszta nie rzuci się na nas, aby uwolnić swego towarzysza? — zapytała Julia głosem mniej pewnym, niż tego chciała.

— Wówczas, pani — odrzekł królewicz — ujrzysz, jak giniemy, walcząc wokół ciebie, a ty będziesz musiała polecić się Lwu. Teraz, Błotosmętku!

Błotowij ześliznął się z konia i zniknął w ciemnościach jak kot. Przejechali kilkadziesiąt metrów, nasłuchując z rosnącym niepokojem, aż wreszcie z tyłu rozległa się seria mrożących krew w żyłach pisków zmieszanych ze znajomym głosem błotowija:

— Co z tobą? Nie wrzeszcz, póki ci nic nie zrobiłem, bo będę musiał coś ci zrobić, jasne? Ktoś mógłby pomyśleć, że tu się zarzyna prosię.

— Polowanie udane! — zawołał królewicz, zawracając Węgielka i galopując do rogu domu. — Eustachy — dodał — bądź tak łaskaw i potrzymaj uzdę. — Potem zeskoczył na ziemię i wszyscy troje patrzyli w ciszy na Błotosmętka, który wyciągnął swą zdobycz na światło. Był to bardzo nędzny, mały — zaledwie metrowy — gnom. Na czubku głowy sterczało mu coś w rodzaju płetwy przypominającej grzebień koguta (tyle że twardszy), miał małe, różowe oczka, a usta i podbródek tak wielkie i okrągłe, że jego twarz kojarzyła się z pyskiem jakiegoś karłowatego hipopotama. Gdyby sytuacja nie była tak groźna, na jego widok wszyscy wybuchnęliby śmiechem.

— A teraz posłuchaj no, Ziemisty — rzekł królewicz, stając nad nim i przykładając mu koniec miecza do karku. — Bądź grzecznym gnomem i mów, to puścimy cię wolno. A spróbuj tylko się stawiać lub oszukiwać, a będziesz martwy. Drogi Błotosmętku, jak on może mówić, skoro zaciskasz mu usta?

— Mówić nie może, ale też i nie może ugryźć — odpowiedział błotowij. — Gdybym miał takie głupie, miękkie ręce jak wy, ludzie (niech mi wasza wysokość wybaczy), to byłoby tu trochę krwi. Ale nawet błotowije mogą mieć w końcu dosyć, gdy ktoś je żuje.

— Psie! — zawołał Rilian do gnoma. — Ugryź jeszcze raz, a zginiesz. Pozwól mu otworzyć usta, Błotosmętku.

— Ou-ii-ii! — zakwiczał Ziemisty. — Puśćcie mnie, puśćcie mnie. To nie ja. Ja tego nie zrobiłem.

— Czego nie zrobiłeś? — zapytał Błotosmętek.

— Tego, co wasza czcigodność myśli, że zrobiłem.

— Powiedz mi, jak się nazywasz — rzekł królewicz — i w ogóle co wy, Ziemiści, wyprawiacie?

— Och, błagam waszą czcigodność, proszę, szlachetni panowie — zaskomlał gnom. — Przyrzeknijcie mi, że nie powiecie tego jej królewskiej mości.

— Jej królewska mość, jak ją nazywasz — powiedział królewicz surowo — nie żyje. Właśnie ją zabiłem.

— Co?! — wykrzyknął gnom, otwierając swoje śmieszne usta coraz szerzej. — Nie żyje? Czarownica zabita? I to ręką waszej czcigodności? — Odetchnął z ulgą i dodał: — A więc wasza czcigodność jest przyjacielem!

Rilian cofnął nieco miecz, a Błotosmętek pozwolił gnomowi wyprostować plecy. Gnom popatrzył na przybyszy mrugającymi, czerwonymi oczkami, cmoknął parę razy i zaczął mówić.

Rozdział 14

DNO ŚWIATA

Nazywam się Golg — rzekł gnom. — Opowiem waszym czcigodnościom wszystko, co wiem. Jakąś godzinę temu wszyscy byliśmy przy naszej robocie... JEJ robocie, powinienem powiedzieć. Smutek i cisza, tak jak co dzień, od tylu lat. Nagle straszny huk i trzask. Jak to usłyszeliśmy, każdy sobie mówi: nie śpiewałem, nie tańczyłem, od tak dawna nie puszczałem sobie żadnego sztucznego ognia. Dlaczego tak? I każdy sobie myśli: będę rad, jak mi kto powie, dlaczego ja muszę nosić te ciężary; nie chcę ich więcej nosić, ot co. I porzucaliśmy nasze worki, tobołki i narzędzia. No i każdy się odwraca i patrzy, a tu wielka, czerwona łuna. I każdy sobie mówi: a co to takiego? I każdy sobie odpowiada: nic, tylko się zrobiła dziura lub szczelina, a przez nią leci to kochane, ciepłe światło z Prawdziwej Otchłani, tysiące sążni pod nami.

— O, holender! — zawołał Eustachy. — Czy to znaczy, że niżej są jeszcze jakieś kraje?

— O tak, czcigodny panie — odpowiedział Golg. — Piękne miejsca, my na to mówimy: Kraina Bizm. Ten kraj, gdzie teraz jesteśmy, państwo Czarownicy, MY nazywamy Płytkim Krajem. Trochę tu dla nas za blisko powierzchni, nie pasuje nam. Uch! To prawie to samo, co żyć na zewnątrz, na samej powierzchni. Widzicie, my jesteśmy biedne gnomy z Bizmu. To ta wiedźma nas sprowadziła czarami na górę i kazała dla siebie robić. Wszystko zapomnieliśmy, aż tu nagle trzask!... i czar prysnął. Nie wiedzieliśmy, kim jesteśmy, skąd przyszliśmy. Potrafiliśmy robić i myśleć tylko to, co ona nam powkładała do głowy, a wkładała same ponurości i posępności. Prawie już zapomniałem, że można sobie pożartować albo zatańczyć

skoczną gigę. Ale jak tylko huknęło i otworzyła się ta dziura, i morze zaczęło się podnosić... wszystko wróciło. No i oczywiście my wszyscy lecimy do tej dziury, żeby się nią dostać do domu. Widzicie przecież naokoło! Puszczają rakiety i stają na głowach z radości. I będę wam wielce zobowiązany, czcigodni, jeśli pozwolicie mi odejść i dołączyć do innych.

— No przecież to jest po prostu wspaniałe! — ucieszyła się Julia. — Jak to dobrze, że uwolniliśmy nie tylko siebie, ale i te gnomy, kiedy odcięliśmy Czarownicy głowę! I tak się cieszę, że one naprawdę nie są takie straszne i ponure. W każdym razie nie bardziej ponure od królewicza... no, wiecie, gdy był zaczarowany.

— Wszystko to pięknie, Pole — rzekł Błotosmętek ostrożnie — ale te gnomy wcale mi nie wyglądają na takie, co po prostu uciekają. Bardziej mi przypominają wojskowe formacje, jeśliby mnie kto pytał. Popatrz no mi w oczy, panie Golgu, i powiedz: nie przygotowywaliście się do bitwy?

— Jasne że tak, wasza czcigodność — odrzekł Golg. — Musicie zrozumieć, że nic nie wiedzieliśmy o śmierci Czarownicy. Myśleliśmy, że patrzy na nas z zamku. Próbowaliśmy uciec tak, żeby nas nie zobaczyła. No, a kiedy wy się pojawiliście, na koniach, z mieczami, każdy sobie powiedział: oho, zaczęło się, nie wiedząc, że wasze czcigodności wcale nie są po stronie Czarownicy. I byliśmy gotowi walczyć aż do śmierci, byle tylko nie porzucać nadziei na powrót do Bizmu.

— Mogę przysiąc, że to całkiem zacny i uczciwy gnom — rzekł królewicz. — Puść go, Błotosmętku. Co do mnie, dobry Golgu, byłem zaczarowany tak samo jak ty i twoi towarzysze. Dopiero niedawno przypomniałem sobie, kim jestem. Ale mam jeszcze jedno pytanie. Czy znasz może drogę do tego nowego tunelu, przez który Czarownica chciała wyprowadzić armię na podbój Nadziemia?

— Ui-ii-ii! — zakwiczał Golg. — Tak, znam tę straszną drogę. Pokażę wam, gdzie się zaczyna. Ale nawet nie próbujcie, czcigodni, żądać ode mnie, żebym z wami tam poszedł. Wolę umrzeć.

— Dlaczego? — zaniepokił się Eustachy. — Co jest w tym tak strasznego?

— Za blisko góry, za bardzo na zewnątrz — odpowiedział Golg, wstrząsając się ze wstrętem. — To najgorsza rzecz, jaką nam chciała zgotować ta wiedźma. Miała nas wyprowadzić na otwartą przestrzeń, na tamtą stronę świata. Mówią, że tam nigdzie nie ma sklepienia, tylko straszliwa wielka pustka, zwana niebem. A tunel jest już prawie gotów, wystarczy parę uderzeń kilofem i będziecie na zewnątrz. Nie chciałbym wtedy znaleźć się za blisko.

— Hurrra! Teraz dopiero dobrze mówisz! — zawołał Eustachy, a Julia dodała: — Ale tam w górze wcale nie jest tak strasznie. Bardzo nam się tam podoba. My tam mieszkamy.

— Wiem, że wy, Nadziemianie, tam mieszkacie — powiedział Golg. — Zawsze jednak myślałem, że po prostu nie potraficie znaleźć drogi pod ziemię. Przecież nie możecie naprawdę tego LUBIĆ: pełzać jak muchy po wierzchu świata!

— A może byś od razu pokazał nam drogę? — przerwał mu Błotosmętek.

— Niech nam szczęście sprzyja! — zawołał królewicz. Skoczył na swojego rumaka. Błotosmętek usiadł za Julią i ruszyli stępa za Golgiem. Prowadząc ich, wykrzykiwał przez cały czas dobre nowiny: że czarownica nie żyje i że czworo Nadziemian to przyjaciele. A ci, którzy to usłyszeli, powtarzali to natychmiast innym, i tak w ciągu kilku minut całe Podziemie dzwoniło od radosnych krzyków i wiwatów, a setki, tysiące gnomów cisnęły się wokół Węgielka i Śnieżki, podskakując, wywijając koziołki, stając na głowach, przeskakując sobie przez plecy i rzucając pękające z hukiem petardy. A Rilian musiał opowiedzieć historię swego zaczarowania i odczarowania przynajmniej dziesięć razy.

W ten sposób dotarli do krawędzi szczeliny. Miała około trzystu metrów długości i z sześćdziesiąt metrów szerokości. Zsiedli z koni i podeszli do samej krawędzi, zaglądając w czerwoną przepaść. W twarze uderzył ich silny żar pomieszany z zapachem, który trudno było porównać z jakimkolwiek innym. Był to zapach bogaty, ostry, podniecający, drażniący nosy. Blask bijący z dna rozpadliny był tak silny, że w pierwszej chwili zupełnie ich oślepił. Kiedy się trochę przyzwyczaili, ujrzeli na dnie jakby rzekę ognia, a na jej brzegach coś jak pola i zagajniki z trudnej do opisania, rozżarzonej jasności, chociaż w porównaniu z rzeką była blada i przyćmiona. Były tam pomieszane ze sobą błękity, czerwienie, zielenie, biele, jak wspaniały, misterny witraż, przez który w samo południe prześwieca tropikalne słońce. Po urwistych stokach rozpadliny schodziły setki Ziemistych, jak mrowie czarnych much po jakimś rozjarzonym, kryształowym kloszu.

— Wasze czcigodności — odezwał się Golg, a kiedy się odwrócili ku niemu, przez kilka dobrych chwil nie widzieli nic prócz czarnych plam. — Wasze czcigodności, dlaczego nie mielibyście zejść w dół, do Bizmu? Będziecie tam szczęśliwi, bardziej szczęśliwi niż w tym zimnym, nie osłoniętym, nagim kraju na wierzchu świata. A w każdym razie złóżcie nam krótką wizytę.

Julia była pewna, że żaden z jej towarzyszy ani przez chwilę nie potraktuje poważnie tego zaproszenia. Ku swemu przerażeniu usłyszała, jak Rilian powiedział:

— Zaprawdę, przyjacielu Golgu, jestem już prawie gotów zejść tam w dół wraz z tobą. Jest to bowiem zadziwiająca przygoda, a myślę, że żaden ze śmiertelnych nigdy jeszcze nie oglądał Bizmu przed nami i zapewne nikt z nas nie będzie już miał więcej ku temu sposobności. Nie wiem też, jak mógłbym w latach, które nadejdą, znieść pamięć tego, że dana mi była raz w życiu możliwość odwiedzenia najgłębszych otchłani Ziemi, a ja z niej nie skorzystałem. Ale czy człowiek może tam żyć? Chyba nie pływacie w tej ognistej rzece?

— Och, nie, czcigodny. My nie. Tylko salamandry żyją w samym ogniu.

— Co to za rodzaj stworzeń, te salamandry? — zapytał królewicz.

— Trudno to bliżej określić — odrzekł Glog — ponieważ są tak białe i rozżarzone, że nie można na nie patrzyć. Najbardziej przypominają małe smoki. One mówią do nas z wnętrza ognia. Są niebywale mądre, bardzo dowcipne i wygadane.

Julia popatrzyła szybko na Eustachego. Była pewna, że jemu myśl zejścia na dno szczeliny po jej stromych ścianach jeszcze mniej przypadnie do gustu. Serce w niej zamarło, gdy zobaczyła, jak bardzo zmienioną ma twarz. Teraz bardziej był podobny do królewicza Riliana niż do dawnego Scrubba z Eksperymentalnej Szkoły. Powróciły do niego wszystkie przygody i dni żeglugi z królewiczem Kaspianem.

— Wasza wysokość — rzekł do Riliana. — Gdyby tu był mój dawny przyjaciel Ryczypisk, wódz myszy, powiedziałby, że nie można się cofnąć przed przygodą zwiedzenia Bizmu, nie narażając poważnie na szwank naszego honoru.

— A więc na dół! — ucieszył się Golg. — Pokażę wam prawdziwe złoto, prawdziwe srebro, prawdziwe diamenty.

— Koszałki-opałki! — powiedziała Julia. — Tak jakbyśmy nie wiedzieli, że nawet tu znajdujemy się poniżej najgłębszych kopalni.

— Tak, słyszałem o tych zadrapaniach na skorupie Ziemi, które wy, Szczytowcy, nazywacie kopalniami. Ale możecie w nich wykopać tylko martwe złoto, martwe srebro, martwe diamenty. Tam, w dole, w Bizmie, są żywe i rosną. Tam zerwę ci gałązkę rubinów, które możesz zjeść, i wycisnę ci pełną filiżankę diamentowego soku. Machniesz ręką na wszystkie zimne, martwe skarby waszych płytkich kopalni, jak spróbujesz żywych skarbów Bizmu.

— Mój ojciec był na krańcu świata — rzekł Rilian w zamyśleniu. — Czy nie byłoby wspaniale, gdyby jego syn odwiedził najgłębsze dno świata?

— Jeżeli wasza wysokość chce zobaczyć swego ojca żywego, a myślę, że i on by tego chciał — wtrącił się Błotosmętek — to czas już w drogę do tunelu.

— I możecie sobie mówić, co chcecie, a ja i tak nie zejdę do tej dziury — dodała Julia.

— No cóż, jeśli wasze czcigodności naprawdę chcą wracać do Nadziemia — rzekł Golg — to rzeczywiście JEST kawałek drogi do przebycia, trochę niżej. Tylko jeśli morze będzie się wciąż podnosić...

— Och, naprawdę, chodźmy JUŻ! — zawołała błagalnie Julia.

— Obawiam się, że tak musi być — powiedział królewicz z głębokim westchnieniem. — Zostawiam jednak połowę mego serca w krainie Bizmu.

— Och, błagam! — powtórzyła Julia.

— Gdzie jest ta droga? — zapytał Błotosmętek.

— Są tam lampy — odrzekł Golg. — Wasza czcigodność może dostrzec początek drogi, o tam, po drugiej stronie szczeliny.

— Jak długo będą palić się te lampy? — zapytał jeszcze Błotosmętek.

W tym momencie z otchłani Bizmu dobiegł ich nagle jakiś głos, świszczący i spieczony, jakby to był głos samego Ognia (później zastanawiali się często, czy był to głos salamandry):

— Sz-sz-szybko! Sz-sz-szybko! Do urwissska! Do urwissska! Rrrrysssa zamyka się! Zamyka się! Zamyka się! Szszszybko! — I w tej samej chwili z ogłuszającym trzaskiem i łoskotem skały drgnęły i szczelina zaczęła się zwężać. Ze wszystkich stron skakały do niej głowami w dół spóźnione gnomy, rezygnując z próby opuszczenia się po skalistych zboczach. Czy to z powodu podmuchu powietrza bijącego żarem ku górze, czy też z jakiejś innej, nieznanej przyczyny, widać było, jak gnomy opadają łagodnie, niby liście z drzew. Im niżej, tym robiło się gęściej od wirujących postaci, aż czarna chmara zaćmiła ognistą rzekę i pola żywych klejnotów.

— Żegnaj, czcigodna pani, i wy, szlachetni panowie! — zawołał Golg i skoczył, a za nim garstka tych ostatnich Ziemistych, którzy jeszcze tego nie uczynili. Rozpadlina nie była teraz szersza od strumienia, potem zwęziła się do rozmiarów szczeliny w skrzynce pocztowej, a po chwili w skale widniała tylko jaśniejąca rysa. A potem, z takim wstrząsem, jakby tysiąc pociągów towarowych uderzyło w tysiąc buforów na

końcu toru, rozchylone przedtem usta ziemi zamknęły się na dobre. Gorąca, oszałamiająca woń szybko się ulotniła. Czworo wędrowców stało samotnie w Podziemiu, które wydawało się teraz o wiele ciemniejsze niż kiedykolwiek. Przed nimi majaczyły blade i ponure lampy, wyznaczające kierunek ich dalszej wędrówki.

— Stawiam dziesięć do jednego — odezwał się Błotosmętek — że jesteśmy tu już za długo. Ale można spróbować. Te latarnie zgasną za pięć minut, i wcale bym się nie dziwił.

Zmusili konie do galopu i pomknęli mroczną drogą, a huk kopyt odbijał się głośnym echem po Podziemiu. Wkrótce droga zaczęła gwałtownie opadać. Pomyśleli nawet, że Golg wskazał im zły kierunek, ale zobaczyli, że przed nimi, po drugiej stronie doliny, rząd latarni podnosi się znowu, jak daleko można było sięgnąć wzrokiem. Jednak na dnie doliny mdłe światło lamp odbijało się już w bystro płynącej wodzie.

— Szybko! — zawołał królewicz.

Zjechali pędem po zboczu. Gdyby się spóźnili choć o parę minut, znaleźliby się w potrzasku, ponieważ fala powodzi napływała teraz z szybkością strumienia napędzającego młyńskie koło. Gdyby przyszło im pokonywać zalew wpław, prąd mógłby się okazać silniejszy od koni. Jak dotąd woda sięgała im zaledwie do brzuchów i chociaż chłostała groźnie jeźdźców po nogach, dotarli bezpiecznie na drugą stronę.

Teraz zaczęła się powolna, nużąca wędrówka w górę zbocza. Nie widzieli przed sobą nic prócz bladych lamp prowadzących w górę. Kiedy spojrzeli za siebie, zobaczyli wodę podnoszącą się za nimi z wściekłym bulgotem. Wszystkie wzgórza Podziemia były już wyspami i tylko na ich szczytach płonęły jeszcze lampy. Co chwila gasła któraś w ciemnej oddali, z wyjątkiem drogi, po której jechali, lecz nawet tu światła lamp odbijały się już w wodzie.

— Ciekawa jestem, czy ten... jak on się nazywał...

aha, Ojciec Czas, wypłynie teraz — powiedziała Julia. — I te wszystkie dziwaczne, śpiące zwierzęta.

— Chyba nie jesteśmy jeszcze tak wysoko — powiedział Eustachy. — Nie pamiętasz, że musieliśmy długo schodzić po zboczu, zanim doszliśmy do podziemnego morza? Nie sądzę, by woda dotarła już do jaskini Ojca Czasu.

— Może tak, a może nie — rzekł Błotosmętek. — Bardziej mnie teraz interesują te lampy przy drodze. Trochę mi blado wyglądają.

— Zawsze tak wyglądały — zauważyła Julia.

— Tak, ale teraz są bardziej zielone.

— Chyba nie chcesz powiedzieć, że wygasają?! — zawołał Eustachy.

— No cóż, nie wiem nawet, na jakiej zasadzie się palą — odrzekł błotowij — trudno jednak oczekiwać, by paliły się wiecznie. Ale nie upadaj na duchu, Scrubb. Mam również oko na wodę i myślę, że nie przybiera już tak szybko jak przedtem.

— Niewielka to pociecha, przyjacielu — powiedział królewicz — jeśli nie będziemy mogli znaleźć drogi. Błagam was wszystkich o przebaczenie. Możecie mnie teraz przeklinać, bo to moja duma i fantazja zatrzymały nas u wrót Bizmu. Cóż, jedźmy dalej.

W ciągu następnej godziny Julia raz przyznawała rację Błotosmętkowi, kiedy mówił o gasnących lampach, a raz była pewna, że tak jej się tylko wydaje. Tymczasem otoczenie zmieniło się. Sklepienie Podziemia było już tak nisko, że nawet w mdłym świetle lamp widzieli je dość wyraźnie. Przybliżyły się też poszarpane skalne ściany po obu stronach. Droga prowadziła w górę stromym, zwężającym się tunelem. Mijali porzucone kilofy, łopaty, taczki i inne ślady przerwanej niedawno górniczej pracy. Gdyby tylko byli pewni, że tunel wyprowadzi ich z Podziemia, wszystkie te znaki byłyby na pewno wielką pociechą. Ale sama myśl o zagłębieniu się w czarną dziurę, zwężającą się coraz bardziej i bardziej — co kazało się obawiać, że za chwilę trudno się będzie w niej odwrócić — wcale nie była przyjemna.

Wreszcie strop obniżył się tak, że Błotosmętek i Rilian musieli pochylić głowy. Zsiedli z koni i szli dalej pieszo, prowadząc je za uzdy. Grunt był nierówny i trzeba było ostrożnie stawiać nogi, co pomogło Julii zauważyć, że robi się naprawdę ciemno. Nie mogło być co do tego żadnych wątpliwości. Twarze pozostałych wyglądały dziwnie i strasznie w zielonej poświacie. A potem nagle Julia pisnęła cicho, bo oto światło przed nimi zgasło zupełnie i to samo stało się ze światłem za nimi. Znaleźli się w absolutnej ciemności.

— Odwagi, przyjaciele — rozległ się głos królewicza Riliana. — Czy przeżyjemy, czy pomrzemy, Aslan będzie zawsze naszym dobrym panem.

— Masz zupełną rację, panie — odezwał się głos Błotosmętka. — I warto pamiętać, że jest jedna dobra strona ugrzęźnięcia na dobre w tej pułapce: zaoszczędzi się na pogrzebie.

Julia zmusiła się do milczenia. (To zwykle najmądrzejsza rzecz, jeśli się nie chce, aby inni poznali, że jesteśmy przerażeni; już samo brzmienie głosu może nas zdradzić.)

— Właściwie równie dobrze możemy stać tutaj,

jak iść dalej — odezwał się Eustachy i kiedy Julia usłyszała drżenie jego głosu, przekonała się, jak mądrze zrobiła, nie ufając swojemu.

Błotosmętek i Eustachy ruszyli pierwsi z wyciągniętymi przed siebie rękami, aby nie trafić głową w jakąś niewidzialną przeszkodę. Julia i królewicz poszli za nimi, prowadząc konie.

— Słuchajcie — rozległ się głos Eustachego — czy coś dzieje się z moimi oczami, czy może i wy widzicie plamę światła, tam, w górze?

Zanim ktokolwiek zdołał mu odpowiedzieć, błotowij zawołał:

— Stop! Natrafiłem na koniec. I to jest ziemia, nie skała. Co ty mówiłeś, Scrubb?

— Na Wielkiego Lwa! — odezwał się królewicz. — Eustachy ma rację, tam jest coś takiego jak...

— Ale to nie jest światło dzienne — powiedziała Julia. — To jakieś zimne, niebieskie światło.

— Lepsze takie niż żadne — zauważył Eustachy. — Można się tam jakoś dostać?

— Ono nie jest całkiem nad nami — rzekł Błotosmętek. — Ono jest w górze, na tej ścianie, którą wymacałem. Może spróbujesz, Pole, wleźć mi na ramiona i zobaczyć, jak to wysoko?

Rozdział 15

ZNIKNIĘCIE JULII

Mała plamka światła nie pozwalała im zobaczyć czegokolwiek tu, na dole. Mogli tylko słyszeć odgłosy towarzyszące próbom Julii wdrapania się na plecy błotowija. Słyszeli więc jego zduszone uwagi: „Nie musisz wsadzać mi palca do oka" i „Nogi mi też nie pchaj w usta", i „Teraz już lepiej", i „Będę cię teraz trzymał za nogi. Możesz się spokojnie wyprostować i oprzeć o ziemię".

Popatrzyli w górę i zobaczyli ciemny kształt głowy Julii na tle plamy.

— No i co? — zawołali razem z niepokojem.

— Tu jest dziura — dobiegł ich głos Julii. — Mogłabym przez nią przeleźć, gdybym była troszkę wyżej.

— Co przez nią widzisz? — zapytał Eustachy.

— Na razie niewiele — odpowiedziała Julia. — Błotosmętku, puść mi nogi, to stanę ci na ramionach. Mogę się oprzeć o krawędź.

Usłyszeli jej ruchy, a potem zobaczyli zarys całej górnej połowy jej ciała na tle szarości sączącej się z otworu.

— Słuchajcie... — zaczęła Julia, lecz nagle urwała

z krzykiem. Nie był to ostry okrzyk; brzmiał tak, jakby jej zatkano czymś usta. Potem odzyskała głos i zaczęła krzyczeć tak głośno, jak potrafiła, ale nikt nie mógł zrozumieć, o co jej chodzi. A w chwilę potem dwie rzeczy wydarzyły się jednocześnie. Przez moment plamka światła została całkowicie przysłonięta, usłyszeli odgłos jakiejś szamotaniny i zduszony krzyk Błotosmętka: — Szybko! Pomóżcie! Trzymajcie ją za nogi! Ktoś ją ciągnie. Tu! Nie, tutaj! Za późno.

Otwór był już znowu całkowicie odsłonięty. Julia zniknęła.

— Julio! Julio! — zawołali wszyscy trzej z rozpaczą. Ale odpowiedzi nie było.

— Dlaczego, u licha, puściłeś jej nogi? — zapytał Eustachy.

— Nie pytaj mnie, Scrubb — jęknął Błotosmętek. — Jestem urodzonym pechowcem i nie będę się dziwił, jak mi to ktoś powie. Taki już mój los. Gdzieś jest zapisane, że stanę się przyczyną śmierci Julii, tak jak zapisane było, że zjem kawałek Mówiącego Jelenia w Harfangu. Nie znaczy to, oczywiście, że nie było w tym i mojej własnej winy...

— To największa hańba i klęska, jakie mogły nas spotkać — rzekł królewicz. — Posłaliśmy dzielną młodą damę w ręce wrogów, a sami zostaliśmy bezpiecznie w tyle.

— Chyba widzisz to w ZBYT czarnych barwach, panie — powiedział Błotosmętek. — Trudno powiedzieć, byśmy byli tu bardzo bezpieczni, skoro jedyne, na co się zanosi, to śmierć głodowa w tej jamie.

— Zastanawiam się, czy JA zmieściłbym się w tej

dziurze, przez którą wyciągnięto Julię — odezwał się Eustachy.

A oto, co naprawdę stało się z Julią. Jak tylko wystawiła głowę przez dziurę, stwierdziła ku swemu zdumieniu, że spogląda w dół, jakby przez okno na piętrze wyglądała na ulicę. Tak długo przebywała w ciemności, że w pierwszej chwili nie mogła niczego rozpoznać. Wiedziała tylko, że nie jest to słoneczny świat, który tak bardzo chciała zobaczyć. Powietrze było tu bardzo zimne, a światło blade i niebieskawe. Słyszała też mnóstwo dziwnych odgłosów, a w powietrzu fruwały jakieś białe rzeczy. Właśnie w tym momencie zawołała do Błotosmętka, aby jej pozwolił stanąć na ramionach.

Kiedy to zrobiła, mogła już nieco lepiej widzieć i słyszeć. Odgłosy, które słyszała, można było podzielić na dwa rodzaje: rytmiczny tupot wielu stóp oraz muzyka skrzypiec, fletów i bębna. Wyglądała przez dziurę w stromym zboczu; od dziury do podnóża zbocza mogły być jakieś cztery metry. Wszystko było bardzo białe. Kręciło się tu wiele postaci. I nagle aż jej dech zaparło: to były małe, schludne fauny i driady z włosami uwieńczonymi gałązkami! Przez chwilę wydawało się Julii, że fauny i driady krążą tu i tam bez celu, lecz wkrótce zrozumiała, że w rzeczywistości wykonują jakiś taniec — taniec z tyloma skomplikowanymi krokami i figurami, że zrozumienie tego wymagało pewnego czasu. A potem olśniło ją nagle, że blade, niebieskawe światło to w rzeczywistości światło księżyca, a biel pokrywająca wszystko — to śnieg... Ależ tak! Teraz zobaczyła gwiazdy jaśniejące na czarnym, zimnym niebie. A te wysokie, ciemne kształty za tancerzami — to drzewa! Zrozumiała, że dotarli wreszcie do nadziemnego świata i — co więcej — wyszli z ziemi w samym środku Narnii. Ze wzruszenia zrobiło się jej słabo, a muzyka — dzika, bardzo melodyjna i piękna, lecz równocześnie trochę straszna i tajemnicza, przesycona Dobrą Magią w takim stopniu, w jakim przesycona była Złą Magią gra Czarownicy — ta muzyka sprawiała, że Julia była bliska omdlenia.

Wszystko to opowiada się dość długo, ale w rzeczywistości trwało bardzo krótko. Prawie natychmiast Julia odwróciła się, by zawołać do pozostałych: „Słuchajcie! Tu jest cudownie. Wychodzimy! Jesteśmy w domu! Wszystko to chciała im powiedzieć, ale w rzeczywistości zdążyła tylko zawołać: „Słuchajcie!" oto, co się wydarzyło. Wokół tancerzy krążył korowód karłów ubranych w swoje najlepsze stroje: oblamowane futrem szkarłatne kubraki z kapturami zakończonymi złotymi chwostami i wysokie futrzane buty. Wszystkie karły bez przerwy rzucały śnieżne kule (to właśnie były owe białe rzeczy fruwające w powietrzu). I nie rzucały ich w tancerzy, jak by może robili jacyś głupi chłopcy w Anglii. Rzucali je między tańczących w rytmie tak doskonale zgranym z muzyką i krokami tancerzy, że jeśli tylko każdy z nich był w odpowiedniej chwili na swoim miejscu, żaden nie mógł zostać trafiony. Nazywają to Wielkim Tańcem Śnieżnym, a wykonuje się go w Narnii co roku, w pierwszą księżycową noc po pierwszym śniegu. Jest to nie tylko taniec, ale i rodzaj gry, ponieważ co jakiś czas któryś z tańczących nieco się opóźniał lub przyspieszał i śnieżna kula trafiała go w nos lub czoło, co wywoływało powszechny śmiech. Przy dobrym zespole tancerzy, karłów i muzyków taki taniec może jednak trwać całymi godzinami bez żadnego trafienia. W bezchmurne zimowe noce, gdy chłód, rytmiczny głos bębnów, pohukiwanie sów i światło księżyca wzburzą w nich dziką, leśną krew, potrafią tak tańczyć aż do świtu. Mogę wam tylko życzyć z całego serca, żebyście to kiedyś sami zobaczyli.

Tym, co przerwało Julii zdanie tuż po wypowiedzeniu słowa „Słuchajcie!", była oczywiście i po prostu piękna, wielka kula śniegu. Rzucona ręką karła po przeciwległej stronie korowodu, przeleciała gładko pomiędzy tańczącymi i trafiła ją prosto w otwarte usta. Prawdę mówiąc, Julia specjalnie się tym nie przejęła; w tej chwili nawet dwadzieścia śnieżnych piguł nie popsułoby jej nastroju. Można być jednak nie wiem jak szczęśliwą, lecz mimo to trudno mówić z ustami pełnymi śniegu. A kiedy wreszcie mogła znowu mówić, w wielkim podnieceniu zapomniała na chwilę o tym, że jej towarzysze nie wiedzą jeszcze o wszystkim. Wychyliła się z dziury tak, jak tylko mogła, i zawołała do tańczących:

— Na pomoc! Na pomoc! Jesteśmy zakopani w tym wzgórzu. Chodźcie tu i odkopcie nas.

Narnijczycy, którzy aż dotąd nawet nie zauważyli małej dziury w zboczu, byli oczywiście zaskoczeni i rozglądali się przez dłuższą chwilę na wszystkie strony, zanim dostrzegli, skąd wydobywa się głos. Kiedy zobaczyli Julię, podbiegli do zbocza, wielu wspięło się nań bez większego trudu i wkrótce wyciągnął się z tuzin rąk, aby jej pomóc. A Julia schwyciła te ręce, pozwoliła się wyciągnąć z dziury i zjechała po zboczu głową w dół. W końcu pozbierała się i powiedziała:

— Och, błagam, idźcie tam i odkopcie innych. Tam jest jeszcze trzech, oprócz koni. A jednym z nich jest królewicz Rilian.

Zanim skończyła mówić, zobaczyła, że otacza ją gęsty tłum, jako że prócz tancerzy nadbiegło wiele różnych istot, które — czego przedtem nie zauważyła — przyglądały się tańcowi. Z drzew pozeskakiwały wiewiórki, strącając za sobą śnieżne kaskady, zerwały się też z gałęzi sowy. Nadbiegły jeże, kołysząc się na swoich krótkich nóżkach. Niedźwiedzie i borsuki nadeszły bardziej statecznym krokiem. Ostatnia przyszła wielka pantera, poruszając szybko końcem ogona z podniecenia.

Lecz gdy tylko zrozumieli, o co chodzi Julii, wszyscy zabrali się do roboty. „Kilof i łopata, chłopcy, kilof i łopata! Wracamy po narzędzia!", wołały karły i błyskawicznie znikały w lesie. „Obudźcie parę kretów, one są dobre w kopaniu. Są tak dobre jak karły", powiedział jakiś głos. „A co ona mówiła o królewiczu Rilianie?", dopytywał się inny. „Spokój! — odezwała się pantera. — Biedne dziecko postradało rozum i trudno się temu dziwić — po zagubieniu się w tych wzgórzach. Nie wie, co mówi." „Racja — powiedział stary niedźwiedź — przecież mówiła, że królewicz jest koniem!" „Nie, wcale tego nie mówiła", odezwała się zaperzonym głosem wiewiórka. „Tak, mówiła", powiedziała druga, jeszcze bardziej zaperzona.

— To wszyst-t-t-k-ko prawd-d-da. Nie bądź-dź-cie głupi — przerwała im Julia, szczękając z zimna zębami.

Jedna z driad zarzuciła jej na ramiona futro, zostawione w pośpiechu przez któregoś z karłów, a jakiś bardzo miły faun pobiegł między drzewa, skąd przeświecało rozpalone u wylotu jaskini ognisko, aby przynieść jej coś do picia. Zanim wrócił, pojawiły się znowu karły z łopatami i kilofami i natarły na zbocze wzgórza.

Potem Julia usłyszała okrzyki: „Hej, co ty wyprawiasz, odłóż ten miecz!" i „Nie, młodzieńcze, bez takich głupich sztuczek!", i „Ale to złośliwy typ, nie ma co!" Julia popędziła do stóp zbocza i za chwilę nie wiedziała, czy śmiać się, czy płakać, kiedy zobaczyła bardzo bladą i brudną twarz Eustachego wyzierającą z ciemnej dziury oraz prawą rękę Eustachego uzbrojoną w miecz, którym wymachiwał groźnie w stronę każdego, kto się zbliżył.

Bo, oczywiście, Eustachy przeżył ostatnie minuty w zupełnie inny sposób niż Julia. Słyszał jej krzyk i widział, jak zniknęła. Podobnie jak królewicz i Błotosmętek był pewien, że porwali ją jacyś wrogowie. Stojąc w ciemnym tunelu, nie mógł dostrzec, że blade, niebieskie światło to blask księżyca. Myślał, że dziura prowadzi do jakiejś innej podziemnej jaskini, oświetlonej przez upiorny fosforyzujący blask i wypełnionej Bóg-wie-jakimi złymi mieszkańcami Podziemia. Kiedy więc przekonał Błotosmętka, by pozwolił mu wejść na swoje plecy, kiedy wyciągnął miecz i wystawił głowę przez dziurę, wykazał naprawdę wiele odwagi. Dwaj pozostali też by to na pewno zrobili, ale dziura była dla nich za mała. Eustachy był trochę większy i mniej zwinny od Julii, tak że wystawiając głowę, strącił niewielką lawinę śniegu, która zasypała mu twarz. Kiedy w końcu odzyskał wzrok, zobaczył dziesiątki postaci wdrapujących się ku niemu po zboczu. Nic więc dziwnego, że postanowił trzymać domniemanych wrogów z daleka od siebie.

— Przestań, Eustachy, przestań! — krzyknęła Julia. — To są nasi przyjaciele. Nie widzisz? Jesteśmy w Narnii! Wszystko w porządku!

I Eustachy zobaczył, i zaczął przepraszać karły (a karły odpowiedziały, że nie ma o czym mówić), i kilka par grubych, owłosionych rąk pomagało mu przedostać się przez otwór, jak pomogło Julii kilka minut temu. Potem Julia wspięła się na zbocze i wykrzyczała dobre nowiny w czarny otwór. Kiedy się odwróciła, usłyszała ciche mamrotanie Błotosmętka: „Ach, biedna Pole. Za dużo tego wszystkiego na nią, za dużo o ten ostatni kawałek. Pomieszało jej się w głowie, i wcale bym się nie zdziwił. Zaczyna widzieć zjawy".

Julia i Eustachy uścisnęli sobie ręce i nabrali w płuca po dużym hauście świeżego, północnego powietrza.

Przyniesiono Eustachemu ciepły płaszcz i gorący napój dla obojga. Kiedy go sączyli, karły usunęły śnieg i darń z dużej części zbocza wokół dziury, a następnie zaczęły wywijać kilofami i szpadlami tak żwawo, jak żwawo wywijały nogami fauny i driady w tańcu dziesięć minut temu. Tak, zaledwie dziesięć minut temu, a już Julia i Eustachy czuli się, jakby wszystkie niebezpieczeństwa czyhające na nich w ciemnych, gorących i przytłaczających wnętrznościach ziemi były tylko snem. Tu, na zewnątrz, w chłodzie, pod niebem rozjaśnionym blaskiem księżyca i olbrzymich gwiazd (w Narnii gwiazdy są bliżej niż w naszym świecie), w otoczeniu miłych, wesołych twarzy, trudno było uwierzyć w istnienie Podziemia.

Zanim wypili gorący napój, przybyło z tuzin kretów, dopiero co obudzonych z głębokiego snu i niezbyt tym zachwyconych, ale gdy tylko wyjaśniono im, o co chodzi, z ochotą przyłączyły się do akcji ratowniczej. Nawet fauny starały się być pożyteczne, wywożąc taczkami wykopaną ziemię, a wiewiórki miotały się gorączkowo tu i tam w wielkim podnieceniu, chociaż Julii nigdy nie udało się dostrzec, co właściwie w tym zamieszaniu robią. Niedźwiedzie i sowy zadowalały się udzielaniem dobrych rad i zapraszaniem dzieci raz po raz do jaskini (tam właśnie, gdzie Julia widziała ognisko), aby się ogrzały i zjadły kolację. Ale, oczywiście, dzieci nie mogły odejść, nie zobaczywszy swoich przyjaciół.

Żaden z ludzi nie potrafiłby pracować przy tego rodzaju robocie tak, jak potrafią narnijskie karły i mówiące krety, ale też krety i karły nie uważały tego w ogóle za pracę. Uwielbiały wszelkie kopanie. Dlatego też nie trwało długo i wykopały wielką jamę w zboczu wzgórza. A wówczas prosto z ciemności w pełne światło księżyca — mogło to nawet trochę przestraszyć kogoś, kto nie wiedział, kim oni są — wyszła najpierw długa, patykowata, zakończona spiczastym kapeluszem postać błotowija, a potem pojawił się sam królewicz Rilian prowadzący dwa konie.

Kiedy zobaczono Błotosmętka, rozległy się ze wszystkich stron gromkie okrzyki: „Hej, przecież to jest błotowij!", „Przecież to stary Błotosmętek!", „Stary

Błotosmętek ze wschodniego Pogranicza!", „Co, u licha, tutaj robisz, Błotosmętku?", „Ile grup już cię szukało!", „Lord Zuchon wywiesił odezwy!", „Jest nagroda za znalezienie ciebie!" Ale wszystko to ucichło w jednej chwili i zapanowała głucha cisza tak szybko, jak cichną hałasy w sypialni szkolnego internatu, gdy w drzwiach pojawia się sam dyrektor. Teraz bowiem ujrzeli królewicza Riliana.

Nikt nie wątpił w to nawet przez chwilę. Wiele zwierząt, driad, karłów i faunów pamiętało go jeszcze z okresu przed zaczarowaniem. Byli i starsi, którzy pamiętali nawet, jak wyglądał jego ojciec, król Kaspian, kiedy był młodzieńcem, i od razu dostrzegli podobieństwo. Ale myślę, że poznaliby go i bez tych wspomnień. Choć był blady i słaby po długiej niewoli w Otchłani, choć był ubrany na czarno, pokryty kurzem, z włosami w nieładzie, było coś w jego twarzy i postawie, co nikogo nie mogło zmylić. To coś jest zawsze w twarzach wszystkich prawdziwych królów Narnii, zasiadających z woli Aslana na tronie Piotra Wielkiego na zamku Ker-Paravel. W jednym momencie odkryły się wszystkie głowy i zgięły wszystkie kolana, a w chwilę potem rozległy się takie wiwaty i rozpoczęły się takie skoki i tańce, takie ściskanie rąk, całowanie, padanie sobie w ramiona, że Julii łzy stanęły w oczach ze wzruszenia. Ich wyprawa warta była trudów i całej grozy, przez jaką przeszli.

— Niech wasza królewska mość raczy pozwolić — rzekł najstarszy z karłów. — Mamy tu, w tamtej jaskini, coś w rodzaju kolacji, przygotowanej na zakończenie Śnieżnego Tańca...

— Z największą chęcią, ojczulku — odpowiedział królewicz. — Nigdy jeszcze żaden królewicz, rycerz, szlachcic czy niedźwiedź nie miał takiej ochoty na kolację jak my czworo tej nocy.

Wszyscy ruszyli między drzewami ku jaskini. Julia usłyszała Błotosmętka mówiącego do tych, którzy się cisnęli wokół niego:

— Nie, nie, moja opowieść może poczekać. Nie przydarzyło mi się nic takiego, o czym warto mówić. Ale powiedzcie mi, jakie są nowiny? I nie starajcie się mnie oszczędzać, wolę wszystko usłyszeć od razu. Czy okręt króla rozbił się i zatonął? Były jakieś pożary lasów? Jakieś wojny na granicy z Kalormenem? Albo kilka smoków, i wcale bym się nie dziwił?

I wszyscy śmiali się głośno powtarzając:

— No i czy to nie jest cały Błotosmętek?

Dzieci były bliskie omdlenia ze zmęczenia i głodu, ale ciepło jaskini, a i sam jej wygląd, z odblaskami ognia tańczącymi na ścianach, kredensach, kubkach, spodeczkach, talerzach i na gładkiej kamiennej posadzce — tak jak to jest w czystej, wiejskiej kuchni — nieco je ożywiły. Ale i tak zasnęły mocno w czasie przygotowywania kolacji. A kiedy spały, królewicz Rilian opowiedział całą historię najstarszym i najmądrzejszym zwierzętom i karłom. I nie trzeba było im długo tłumaczyć, od razu wiedzieli, jak ją należy zrozumieć: jak przeklęta Czarownica (bez wątpienia z tego samego rodu co Biała Czarownica, która dawno, dawno temu sprowadziła na Narnię Wielką Zimę) chytrze wszystko zaplanowała, najpierw zabijając matkę Riliana i rzucając na niego samego zły czar. I zrozumieli, jak kopała pod samą Narnią, zamierzając wydostać się na powierzchnię, podbić ją i rządzić przy pomocy Riliana; i jak jemu samemu nawet się nie śniło, że kraj, którego królem miałby zostać (królem z tytułu, ale w rzeczywistości jej niewolnikiem), był jego własną ojczyzną. A z tej części opowieści, w której pojawiły się już dzieci, zrozumieli, że Czarownica była w zmowie z olbrzymami z Harfangu.

— A nauka z tego wszystkiego jest taka, wasza wysokość — rzekł najstarszy z karłów — że tym czarownicom z północy zawsze chodzi o to samo, tyle że w każdej epoce mają inny pomysł, aby to osiągnąć.

Rozdział 16

KRZYWDY ZOSTAJĄ WYNAGRODZONE

Kiedy następnego ranka Julia otworzyła oczy i stwierdziła, że znajduje się w jakiejś jaskini, przez chwilę myślała ze zgrozą, że znowu jest w Podziemiu. Ale gdy zobaczyła, że leży na posłaniu z wrzosu przykryta futrzanym płaszczem, że na kamiennym palenisku płonie z wesołym trzaskiem ogień (jakby go dopiero co rozpalono), a przez otwór wpada blask porannego słońca, dotarła do niej wreszcie szczęśliwa prawda. Przypomniała sobie, jak stłoczeni w oświetlonej ogniskiem jaskini zjedli wspaniałą kolację i jak bardzo była śpiąca, zanim się kolacja skończyła. Miała nieco mgliste wspomnienie karłów nachylających się nad paleniskiem z patelniami chyba większymi od nich samych, cudownego zapachu skwierczących kiełbasek i wielu, wielu tych kiełbasek. I nie były to jakieś ohydne parówki składające się ze zmielonej soi z bułką, lecz pachnące kiełbaski z prawdziwego mięsa, pikantne, grube i jeszcze skwierczące, z popękaną i przypaloną na brązowo chrupiącą skórką. I wielkie kubki pienistej czekolady, i pieczone ziemniaki, i pieczone kasztany, i pieczone jabłka nadziewane rodzynkami, i jeszcze lody, bosko orzeźwiające po tylu gorących potrawach.

Julia usiadła i rozejrzała się dookoła. Błotosmętek i Eustachy leżeli niedaleko niej, wciąż jeszcze pogrążeni w głębokim śnie.

— Hej, wy dwaj! — wrzasnęła Julia. — Nie zamierzacie nigdy wstać?

— Cicho tu! — rozległ się senny głos gdzieś ponad nią. — Pora snu-u-u. Odpoczywaj, tu-huuuu. Nie rób hałasu-uuuu. Tu-huuuu!

— Nie do wiary — powiedziała Julia, wpatrując się w biały stos napuszonych piór, ułożony na szczycie zegara pradziadka w rogu pieczary — przecież to jest Świecopuch!

— Tu-huuuu! — zahuczał puchacz, wyjmując głowę spod skrzydła i otwierając jedno oko. — Przybyłem tu około drugiej z wiadomością dla królewicza. Wiewiórki przyniosły nam dobre nowiny. Wiadomość dla królewicza. Już wyruszył w drogę. Wy macie pójść za nim. Dzień dobry! — i głowa zniknęła ponownie.

Ponieważ trudno było liczyć na uzyskanie jakichś dalszych informacji od puchacza, Julia wstała i zaczęła się rozglądać, gdzie by tu się umyć i co by tu zjeść na śniadanie. Prawie natychmiast wbiegł truchtem do pieczary mały faun, stukając głośno kozimi kopytkami po kamiennej posadzce.

— Ach! Obudziłaś się wreszcie, Córko Ewy. Chyba byłoby dobrze, żebyś obudziła Syna Adama. Macie zaraz wyruszyć w drogę, a dwa centaury zaproponowały uprzejmie, że przewiozą was do Ker-Paravelu. — A po chwili dodał przyciszonym głosem: — Oczywiście, zdajesz sobie sprawę, że jazda na centaurze jest szczególnym i niesłychanym zaszczytem. Nie pamiętam, abym kiedykolwiek słyszał o kimś, kogo by taki zaszczyt spotkał. Nie wypada pozwolić im czekać.

— Gdzie jest królewicz? — brzmiało pierwsze pytanie Eustachego i Błotosmętka, gdy tylko zostali obudzeni.

— Pojechał do Ker-Paravelu spotkać się z królem, swym ojcem — odrzekł faun, który miał na imię Orruns. — Okręt jego królewskiej mości oczekiwany jest w przystani w każdej chwili. Podobno król, zanim wyruszył w tę podróż, spotkał Aslana; nie wiem, czy miał wizję, czy było to spotkanie twarzą w twarz. A później Aslan kazał mu wracać i powiedział mu, że jego wytęskniony, zaginiony od dawna syn będzie go oczekiwał w Narnii.

Eustachy zerwał się z posłania, a Julia pomogła Orrunsowi zrobić śniadanie. Błotosmętkowi powiedziano, że ma zostać w łóżku. Centaur o imieniu Chmurosyn, słynny uzdrowiciel (czyli, jak go nazwał Orruns, „pijawka") miał przyjść, aby obejrzeć jego poparzoną nogę.

— Ach! — westchnął Błotosmętek, a potem dodał głosem, w którym pobrzmiewała nuta satysfakcji: — Na pewno zechce mi uciąć nogę przy kolanie, i wcale bym się nie dziwił. Zobaczycie, że mam rację. — Ale był rad, że może zostać w łóżku.

Na śniadanie była jajecznica na grzankach i Eustachy rzucił się na nią tak, jakby w połowie nocy nie zjadł obfitej kolacji.

— Słuchaj, Synu Adama — rzekł faun, wpatrując się z lekkim przerażeniem w jego usta — nie trzeba się AŻ TAK spieszyć. Nie sądzę, by centaury skończyły już SWOJE śniadanie.

— A więc musiały wstać bardzo późno — zauważył Eustachy. — Założę się, że jest już po dziesiątej.

— Och, nie — odpowiedział Orruns. — Wstały jeszcze przed świtem.

— No, to chyba musiały piekielnie długo czekać na śniadanie.

— Ależ skąd! — zdziwił się Orruns. — Nawet nie minęła minuta od przebudzenia, gdy zaczęły jeść.

— Do licha! — zawołał Eustachy. — To musi być niezłe śniadanie!

— Jak to, Synu Adama, czyżbyś nie wiedział? Centaur ma dwa żołądki, ludzki i koński. Rzecz jasna, każdy domaga się śniadania. Więc centaur najpierw zjada owsiankę, kilka pawenderów, cynaderki, bekon, omlet, zimną szynkę, grzankę i marmoladę. Popija to kawą i piwem. A potem przechodzi do zaspokojenia swojej końskiej części i pasie się z godzinę na trawie, kończąc posiłek ciepłą mieszanką ziemniaków z otrębami, porcją owsa i torbą cukru. Dlatego też zaproszenie centaura na sobotę i niedzielę wymaga bardzo wielkiego namysłu. Naprawdę, to bardzo poważna sprawa.

W tym momencie od strony wejścia do pieczary dał się słyszeć stukot kopyt. Dzieci wyjrzały na zewnątrz. Stały tam dwa centaury, jeden z czarną, drugi ze złotą brodą, i pochylały nieco głowy, by zajrzeć do środka. Teraz dzieci zrobiły się bardzo grzeczne i błyskawicznie skończyły śniadanie. Nikomu, kto widział centaura, nawet nie przyjdzie do głowy, aby go uważać za istotę zabawną! Są to poważne, majestatyczne stworzenia, pełne prastarej wiedzy, którą czerpią z gwiazd. Niezbyt łatwo je rozweselić i niezbyt łatwo je rozgniewać, lecz ich gniew jest straszny jak olbrzymia fala przyboju.

— Do widzenia, kochany Błotosmętku — powiedziała Julia, nachylając się nad jego posłaniem. — Wybacz mi, że nazwałam cię czarnowidzem.

— I mnie też wybacz — rzekł Eustachy. — Byłeś najlepszym na świecie towarzyszem.

— I mam nadzieję, że jeszcze się spotkamy — dodała Julia.

— Małe są na to szanse — odpowiedział Błotosmętek. — Oswajam się też z myślą, że nie zobaczę już mojego wigwamu. A ten królewicz, bardzo równy gość, ale czy naprawdę nie uważacie, że jest okropnie wyczerpany? Cały organizm zniszczony przez życie w Podziemiu. Wygląda mi na takiego, co może odejść z tego świata każdego dnia, i wcale bym się nie dziwił.

— Błotosmętku! — zganiła go Julia. — Jesteś normalnym starym nabieraczem. Sprawiasz wrażenie ponurego jak pogrzeb, a założę się, że jesteś bardzo szczęśliwy. I wciąż mówisz tak, jakbyś się wszystkiego bał, a tak naprawdę to jesteś dzielny jak... jak lew.

— Jeżeli już mówimy o pogrzebach... — zaczął Błotosmętek, lecz Julia, która słyszała już za sobą niecierpliwe przebieranie kopytami, zaskoczyła go całkowicie: zarzuciła mu ramiona na szyję i ucałowała jego błotnistą twarz, podczas gdy Eustachy ściskał mu dłoń. Potem oboje wybiegli z pieczary, a błotowij opadł z powrotem na swe posłanie i zamruczał:

— Naprawdę, nigdy mi się nawet nie śniło, że

ona to zrobi. Nigdy, chociaż przecież JESTEM całkiem przystojny.

Jazda na centaurze jest bez wątpienia wielkim zaszczytem (i bardzo prawdopodobne, że prócz Julii i Eustachego nikt na świecie go nie dostąpił), ale na pewno nie jest wygodna. Nikt, komu drogie jest życie, nie odważyłby się nawet pomyśleć o osiodłaniu centaura, a jazda na oklep nie jest wcale zabawna, zwłaszcza gdy — tak jak Eustachy — nigdy się na koniu nie jeździło. Centaury okazywały wiele zrozumienia, cwałując przez narnijskie lasy w sposób, który można opisać jako poważny, wdzięczny i dojrzały. W czasie jazdy opowiadały dzieciom różne ciekawe rzeczy o właściwościach ziół i korzeni, o wpływie planet, o dziewięciu imionach Aslana i ich znaczeniach. Po tej podróży dzieci długo jeszcze czuły ją we wszystkich częściach ciała, lecz oddałyby wszystko, by odbyć ją jeszcze raz, widzieć te polany i zbocza błyszczące od świeżego śniegu, spotykać króliki i wiewiórki pozdrawiające ich wesoło, oddychać znowu cudownym powietrzem Narnii i słyszeć głosy narnijskich drzew.

Dotarli do rzeki, połyskującej bielą i błękitem w zimowym słońcu, daleko poniżej ostatniego mostu (który łączy dwa brzegi w Berunie, zacisznym, pokrytym czerwonymi dachami miasteczku) i zostali przewiezieni na drugi brzeg promem przez przewoźnika albo raczej przewozowija, ponieważ to właśnie błotowije wykonują w Narnii większość prac związanych z wodą i rybami.

Potem popędzili wzdłuż południowego brzegu rzeki, aż dotarli do Ker-Paravelu. I w tym samym momencie, gdy stanęli przed zamkiem, zobaczyli ten sam jaśniejący okręt, który widzieli w czasie swego pierwszego powitania z Narnią. Sunął powoli w górę rzeki, jak wielki wodny ptak. I teraz — jak przedtem — cały dwór zebrał się na błoniu między przystanią a zamkiem, by powitać króla Kaspiana powracającego do domu. Rilian, który zmienił już swój czarny strój na srebrną kolczugę przykrytą szkarłatnym płaszczem, stał tuż przy nadbrzeżu z obnażoną głową, a karzeł Zuchon siedział obok niego w swoim wózku. Dzieci stwierdziły, że nie ma mowy o przedarciu się przez cały ten tłum do królewicza, a zresztą czuły się teraz trochę onieśmielone. Poprosiły więc centaury, by pozwoliły im posiedzieć jeszcze trochę na swych grzbietach i przypatrzyć się wszystkiemu ponad głowami dworzan. A centaury nie miały nic przeciwko temu.

Fanfara srebrnych trąb rozbrzmiała z pokładu okrętu, marynarze rzucili cumy, szczury (mówiące szczury, rzecz jasna) przywiązały je do słupów i okręt został przyciągnięty do nabrzeża. Ukryci w tłumie muzykanci zaczęli grać uroczystą, triumfalną melodię. Szczury przerzuciły trap.

Julia wypatrywała postaci starego króla, ale spotkało ją rozczarowanie. Coś musiało się stać. Na ląd zszedł jakiś baron z bladą twarzą i ukląkł przed królewiczem i Zuchonem. Przez kilka minut tych trzech rozmawiało o czymś, pochylając ku sobie głowy, tak że nikt nie słyszał, o czym mówili. Muzykanci wciąż grali, lecz można było wyczuć, że wszyscy są poruszeni i zaniepokojeni. Potem na pokładzie okrętu pojawiło się czterech rycerzy, którzy coś nieśli, a kiedy zeszli na nabrzeże, można było dostrzec, co to było: łoże ze starym królem, bardzo bladym i nieruchomym. Postawiono je na ziemi, a królewicz ukląkł przy nim i ucałował rękę swego ojca. Zobaczyli, jak król Kaspian podniósł rękę, by pobłogosławić syna. Zabrzmiały wiwaty, ale nie tak ochocze i radosne, jak można by oczekiwać, bo wszyscy czuli, że dzieje się coś niedobrego. I wówczas głowa króla nagle opadła bezwładnie na poduszki, muzyka urwała się i zapanowała głucha cisza. Królewicz, klęczący wciąż przy łożu, oparł na nim głowę i zaszlochał.

Rozległy się szepty i kilka postaci gdzieś pobiegło. Potem wszyscy, którzy nosili kapelusze, berety, hełmy lub kaptury, obnażyli głowy — nie wyłączając Eustachego. Potem Julia usłyszała jakieś skrzypienie i turkotanie ponad zamkiem, a kiedy tam spojrzała, zobaczyła, jak wielka flaga ze złotym Lwem opuszcza się do połowy masztu. A potem powoli i bezlitośnie, z zawodzeniem strun i zrozpaczonym wyciem rogów muzykanci zaczęli grać znowu, lecz tym razem melodię rozdzierającą serce.

Oboje ześliznęli się ze swoich centaurów (które tego nawet nie zauważyły).

— Chciałabym być w domu — szepnęła Julia.

Eustachy tylko pokiwał głową, przygryzając wargi.

— Przyszedłem — rozległ się głęboki głos za nimi. Odwrócili się i zobaczyli samego Lwa, tak jaśniejącego, prawdziwego i mocnego, że wszystko inne stało się nagle blade i szare. I natychmiast Julia zapomniała o martwym królu Narnii i pamiętała już tylko o tym, jak spowodowała upadek Eustachego z urwiska i jak przyczyniła się walnie do nierozpoznania prawie wszystkich Znaków, i jak często odgryzała się i kłóciła. I chciała powiedzieć: „Przebacz mi", ale nie mogła wymówić ani słowa. A potem Lew przyciągnął ich do siebie spojrzeniem, pochylił łeb, dotknął językiem ich pobladłych twarzy i powiedział:

— Już więcej o tym nie myślcie. Nie będę was wciąż beształ. Wykonaliście zadanie, dla którego posłałem was do Narnii.

— Aslanie — odezwała się Julia — czy możemy teraz wrócić do domu?

— Tak. Przyszedłem, aby was zabrać do Domu — rzekł Aslan.

A potem otworzył szeroko usta i tchnął. Lecz tym razem nie odczuli, że lecą w powietrzu; zamiast tego wydawało im się, że dziki oddech Aslana zdmuchnął i okręt, i martwego króla, i zamek, i śnieg, i zimowe niebo. Wszystkie te rzeczy bowiem uleciały w powietrze jak strzępy dymu i nagle stali już w wielkiej jasności letniego słońca na gładkim mchu, pośród potężnych drzew, nad pięknym, orzeźwiającym strumykiem. Zrozumieli, że raz jeszcze znaleźli się na Górze Aslana, wysoko ponad i poza końcem tego świata, w którym leży Narnia. Dziwne było tylko, że pogrzebowa muzyka na śmierć króla Kaspiana wciąż brzmiała, choć żadne z nich nie wiedziało skąd. Szli wolno wzdłuż strumienia, a Lew ich nieco wyprzedzał. I był tak cudowny, a muzyka tak pełna żalu, że Julia nie potrafiła powiedzieć, czy jedno, czy drugie napełniło jej oczy łzami.

Potem Aslan zatrzymał się, a dzieci popatrzyły na

strumień. A tam, na złotym żwirze wyściełającym jego dno leżał martwy król Kaspian, a woda obmywała go jak płynne szkło. Jego długa, biała broda falowała w nurcie jak wodorosty. I wszyscy troje stali i płakali. Nawet Lew płakał, płakał wielkimi łzami, bardziej drogocennymi niż cała Ziemia, choćby zamieniła się w jeden wielki diament. A Julia spostrzegła, że Eustachy wcale nie wyglądał ani jak płaczące dziecko, ani jak chłopiec płaczący i próbujący to ukryć, lecz jak płaczący dorosły. W każdym razie było to najbliższe tego, co odczuła, bo tak naprawdę — jak później mówiła — na tej Górze nie wygląda się ani staro, ani młodo, ani dziecinnie: tak jakby się wcale nie miało wieku.

— Synu Adama — rzekł Aslan — wejdź w te zarośla i zerwij cierń, który tam znajdziesz, i przynieś go tutaj.

Eustachy uczynił, jak mu Lew powiedział. Kolec był długi i ostry jak rapier.

— Wbij go w moją łapę, Synu Adama — powiedział Aslan, podnosząc przednią prawą łapę i wyciągając jej wielką poduszkę ku Eustachemu.

— Czy muszę to zrobić? — zapytał Eustachy.

— Tak — odrzekł Lew.

Więc Eustachy zacisnął zęby i wbił kolec w łapę Lwa. Spłynęła z niej wielka kropla krwi, czerwieńsza niż wszystkie czerwienie, jakie kiedykolwiek widzieliście w życiu. Kropla wpadła do strumienia nad martwym ciałem króla. W tej samej chwili żałosna muzyka urwała się. Zmarły król zaczął się zmieniać. Jego siwa broda poszarzała, a potem zrobiła się złota, a potem zaczęła się kurczyć, aż znikła zupełnie; jego zapadłe policzki wypełniły się i nabrały świeżości, zmarszczki poznikały, powieki podniosły się, oczy i usta roześmiały i nagle poderwał się i stanął przed nimi — młodzieniec, a może nawet chłopiec. (Julia nie potrafiła tego określić, bo w kraju Aslana nie ma się określonego wieku. Nawet w naszym świecie, rzecz jasna, te najgłupsze dzieci wyglądają najbardziej dziecinnie, a najgłupsi dorośli najbardziej dorośle.) A Kaspian podbiegł do Aslana i objął ramionami jego potężną szyję i wycisnął na jego twarzy mocny pocałunek króla, a Aslan odpowiedział na to dzikim pocałunkiem Lwa.

W końcu Kaspian odwrócił się do dzieci i wybuchnął śmiechem pełnej zdziwienia radości:

— Ależ to Eustachy! — zawołał. — Eustachy! A więc w końcu dotarłeś na koniec świata. Czy pamiętasz, jak połamałeś jeden z moich najlepszych mieczy na wężu morskim?

Eustachy wyciągnął ramiona i zrobił krok w jego stronę, lecz nagle cofnął się z nieco przestraszoną miną.

— Posłuchaj — wyjąkał. — Wszystko w porządku. Ale czy ty nie jesteś... to znaczy, czy ty...

— Och, nie bądź takim osłem — rzekł Kaspian.

— Ale... — powiedział Eustachy, patrząc na Aslana. — Czy on... no, czy on nie umarł?

— Tak — odpowiedział Lew bardzo cichym głosem, prawie (pomyślała Julia) jakby się śmiał. — On już umarł. Widzisz, większość ludzi umarła. Nawet ja. Bardzo niewielu jest tych, którzy jeszcze nie umarli.

— Och, już rozumiem, co cię niepokoi — rzekł Kaspian. — Myślisz, że jestem duchem albo czymś w tym rodzaju. Ale czy nic nie rozumiesz? Byłbym zjawą, gdybym się teraz pojawił w Narnii, ponieważ nie należę już do tamtego świata. Ale nie można być zjawą w swoim własnym świecie. Mógłbym być zjawą w twoim świecie, nie wiem. Ale ten wasz dawny świat też już nie jest wasz, skoro tu jesteście.

Wielka nadzieja wypełniła serca dzieci. Ale Aslan potrząsnął swoją zmierzwioną grzywą.

— Nie, moi kochani — powiedział. — Kiedy spotkacie mnie tu następnym razem, już tu pozostaniecie. Ale nie teraz. Musicie na jakiś czas wrócić do waszego świata.

— Panie — rzekł Kaspian, — od dawna marzyłem o tym, żeby chociaż rzucić okiem na ICH świat. Czy jest w tym coś złego?

— Nie możesz już chcieć niczego złego, skoro umarłeś, mój synu — odpowiedział Aslan. — Zobaczysz ich świat. Spędzisz w nim pięć minut ICH czasu. Tyle ci wystarczy, aby uporządkować tam pewne sprawy.

I wyjaśnił Kaspianowi, do jakiego miejsca mają powrócić Julia i Eustachy; opowiedział mu wszystko o Eksperymentalnej Szkole, a wyglądało na to, że zna ją tak dobrze jak oni sami.

— Córeczko — zwrócił się do Julii — urwij witkę z tamtego krzaka. — Zrobiła to i natychmiast witka zmieniła się w jej ręku w nowy jeździecki bat.

— A teraz, Synowie Adama, wyciągnijcie swe miecze — rzekł Aslan. — Ale używajcie tylko płazów, bo wysyłam was nie przeciwko rycerzom, lecz przeciw dzieciom i tchórzom.

— Czy pójdziesz z nami, Aslanie? — zapytała Julia.

— Zobaczą tylko moje plecy — odpowiedział. Poprowadził ich pospiesznie przez las i niewiele musieli zrobić kroków, gdy pojawił się przed nimi mur Eksperymentalnej Szkoły. Aslan zaryczał tak, że słońce zadrżało na niebie, a jakieś dziesięć metrów muru rozpadło się przed nimi. Spojrzeli przez wyrwę, ponad szkolną kolekcją krzewów, aż na dach gimnazjum. Widniał na tle tego samego ponurego jesiennego nieba, jakie widzieli, gdy zaczęły się ich przygody. Aslan odwrócił się do Julii i Eustachego, tchnął na nich i dotknął językiem ich czół. Potem położył się pośrodku wyrwy w murze, złotymi plecami do Anglii, a swym królewskim obliczem ku swojej krainie. W tej samej chwili Julia zobaczyła postacie, które znała aż nazbyt dobrze, jak biegły ku nim wśród wawrzynowych krzaków. Był tam prawie cały gang: Adela Pennyfather, Cholmondely Większy, Edyta Winterblott, Cętkowany Sorner, duży Bannister i dwóch obmierzłych Garretów, bliźniaków. Nagle zatrzymali się. Ich twarze zmieniły się w jednej chwili; cała bezmyślność, próżność, okrucieństwo i donosicielska przymilność znikły, ustępując miejsca przerażeniu. Zobaczyli bowiem rozwalony mur, lwa rozmiarów młodego słonia leżącego w wyrwie i trzy postacie w lśniących strojach rzucające się na nich z bronią w ręku. Julia młóciła batem dziewczynki, a Kaspian i Eustachy okładali płazami mieczy chłopców, a wszyscy troje czynili to — napełnieni mocą Aslana — tak sprawnie, że nie minęły dwie minuty, gdy wszystkie małe potwory, tak lubiące znęcać się nad słabszymi, uciekały już jak szalone, wykrzykując: „Mordercy!”, „Faszyści!”, „Lwy!”, „To NIEUCZCIWE!” A potem nadbiegła Dyrektorka, żeby zobaczyć, co się dzieje, i kiedy ujrzała Lwa, rozwalony mur, Kaspiana, Julię i Eustachego (a tych dwoje ostatnich wcale nie rozpoznała), dostała ataku histerii, wróciła do szkoły i zaczęła wydzwaniać na policję, opowiadając w popłochu o lwie, który uciekł z cyrku, i zbiegach z więzienia, którzy rozwalili mur i byli uzbrojeni w miecze. W całym zamieszaniu Julia i Eustachy wśliznęli się niepostrzeżenie do środka, zmienili szybko swe błyszczące stroje na zwykłe mundurki, a Kaspian wrócił do swego świata. Kiedy przyjechała policja i nie znalazła ani lwa, ani rozwalonego muru, ani zbiegłych skazańców, a za to Dyrektorkę zachowującą się jak lunatyczka, zaczęło się żmudne dochodzenie. A w tym dochodzeniu wyszły na jaw najróżniejsze rzeczy dziejące się w Eksperymentalnej Szkole i w rezultacie wyrzucono dziesięć osób. Nieco później przyjaciele Dyrektorki uznali, że nie nadaje się już na to stanowisko i wobec tego zrobili ją Inspektorem, wtrącającym się w działalność innych dyrektorów. A gdy stwierdzili, że i tu nie ma z niej wielkiego pożytku, wkręcili ją do Parlamentu, gdzie działa spokojnie po dziś dzień.

Którejś nocy Eustachy zakopał potajemnie swój wspaniały strój na boisku szkolnym, lecz Julii udało się przeszmuglować swój do domu i w następne wakacje włożyła go na bal kostiumowy. I od całej tej przygody sytuacja w Eksperymentalnej Szkole bardzo się poprawiła. A Julia i Eustachy pozostali przyjaciółmi na zawsze.

Daleko stamtąd, w Narnii, król Rilian pochował swojego ojca, Kaspiana Żeglarza, dziesiątego tego imienia, i gorzko go opłakiwał. Rządził Narnią sprawiedliwie i wszyscy jego poddani byli szczęśliwi, choć Błotosmętek (którego noga wyleczyła się zupełnie w ciągu trzech tygodni) często zwracał uwagę na to, że po jasnym poranku przychodzi mokre popołudnie oraz że nie można oczekiwać, by dobre czasy trwały wiecznie. Dziura w zboczu wzgórza nie została zasypana i odtąd często w gorące letnie dni Narnijczycy wchodzą do środka z łodziami i latarniami, aby sobie popływać po chłodnym, ciemnym, podziemnym morzu, śpiewając i opowiadając dziwne dzieje miast leżących głęboko na jego dnie. Jeśli kiedyś będziecie mieć szczęście i traficie do Narnii, nie zapomnijcie zwiedzić tych jaskiń.

SPIS ROZDZIAŁÓW

Rozdział 1 Poza murami gimnazjum 9
Rozdział 2 Julia otrzymuje zadanie 24
Rozdział 3 Morska wyprawa króla 36
Rozdział 4 Sowi sejm 50
Rozdział 5 Błotosmętek 65
Rozdział 6 Dzikie pustkowia północy 80
Rozdział 7 Wzgórze dziwnego labiryntu 96
Rozdział 8 Harfang 110
Rozdział 9 Jak odkryli coś, o czym warto było wiedzieć 126
Rozdział 10 Podróż bez Słońca 139
Rozdział 11 W ciemnym zamku 154
Rozdział 12 Królowa podziemia 168
Rozdział 13 Podziemie bez królowej 182
Rozdział 14 Dno świata 195
Rozdział 15 Zniknięcie Julii 208
Rozdział 16 Krzywdy zostają wynagrodzone 220